Caroline Hofman

Schöner Tisch

Über 100 Anleitungen für
schöne Tischdekorationen von
ganz schnell bis festlich

Weltbild

Inhaltsverzeichnis

Auch wenn es nur Spaghetti mit Tomatensauce gibt – auf einem schön eingedeckten Tisch macht die einfachste Mahlzeit richtig was her. Aber wo liegen nun Messer und Gabel? Wo stehen Wein- und Wasserglas? Und wo kommt die Serviette hin? Fragen über Fragen, für die es auf dieser Seite einige einfache Antworten gibt.

1. Serviette & Tischkarte

Die Serviette liegt gefaltet links neben dem Teller. Sie kann aber natürlich auch auf dem Teller liegen bzw. darauf stehen – probieren Sie einfach aus, wie die Servietten am besten zur Geltung kommen. Das Gleiche gilt im Grunde auch für die Tisch- und/oder Menükarte. Da deren Formen und Größen von Fall zu Fall ganz unterschiedlich sind, ist auch hier Ausprobieren angesagt. Lassen Sie dabei auch ruhig Ihre Fantasie spielen: Eine zusammengerollte Serviette kann beispielsweise ins Wasserglas gesteckt sehr reizvoll aussehen. Und eine Tischkarte kann auch einmal an der Stuhllehne befestigt sein. Übrigens: Das für die Vorspeise bestimmte Brötchen findet auf der Serviette oder auf einem separaten kleinen Teller (siehe 3) seinen Platz.

3. Die Teller

Der Teller für den Hauptgang wird so auf den Tisch gesetzt, dass er den Tischrand nicht überragt. Gut zu wissen: Salat- und Suppenteller werden nicht eingedeckt, sondern mit den darauf angerichteten Speisen aufgetragen und dann auf dem eingedeckten Hauptgang-Teller abgestellt. Möchten Sie zur Vorspeise Brot oder Brötchen reichen, legen Sie es entweder auf die gefaltete Serviette (siehe 1) oder Sie decken dafür einen kleinen Extrateller ein, und zwar schräg links über dem Teller für den Hauptgang.

2. Die Gläser

Als Richtglas zum Eindecken dient das Glas, aus dem der Wein zum Hauptgang getrunken wird. Wenn Sie es ganz exakt machen möchten, stellen Sie es 1,5 cm über die Spitze des Messers für den Hauptgang. Schräg rechts davor kommt das Glas für die Vorspeise und noch eins davor das Wasserglas, der Tischkante am nächsten. Wenn es zum Dessert einen Dessertwein gibt, stellen Sie das dafür gedachte Glas schräg links hinter das Richtglas.

4. Das Besteck

Was die Besteckmenge angeht, gilt die Faustregel, dass einmal benutztes Besteck nicht für einen weiteren Gang benutzt wird. Je mehr Gänge Sie also servieren, desto mehr Besteck brauchen Sie. Für ein Vier-Gänge-Menü (Vorspeise, Suppe, Hauptgang, Dessert) sollten es pro Nase sein: je zwei Messer und Gabeln für Vorspeise und Hauptgang, ein Suppenlöffel sowie ein Dessertlöffel und/oder eine Dessertgabel. Die Reihenfolge, in der das Besteck neben den Teller gelegt wird, folgt der, in der es benutzt wird. Da man die Besteckteile von außen nach innen wegnimmt, liegen außen die Teile für die Vorspeise und innen die für den Hauptgang. Messer und Suppenlöffel kommen dabei rechts und die Gabeln links neben den Teller. Das Dessertbesteck liegt oberhalb des Tellers – die Gabel mit dem Griff nach links, darüber der Löffel mit dem Griff nach rechts.

Die Top 12 der Deko-Materialien

1. Perlen & Pailletten

… gibt es in Bastelgeschäften zu kaufen, immer öfter auch in den entsprechenden Abteilungen der großen Kaufhäuser. In verschiedenen Farben und Größen lose auf den Tisch gestreut, sorgen sie auf äußerst einfache Weise für Wow-Effekte. Vor allem in Kombination: Verwenden Sie Pailletten als »Untersetzer« für kleine Glasperlen. Oder ziehen Sie Perlen auf lange Nylonfäden auf und legen Sie die Perlenschnüre als Banderolen über den Tisch.

2. Buntes Granulat

… in verschiedenen Farben in formschöne Gläser, Flaschen oder Glasvasen geschichtet, setzt einfach schöne Akzente auf dem Tisch. Vor allem dann, wenn die Farben des Granulats auf die der Tischdecke und der Servietten abgestimmt sind. Wer möchte, kann in die Gläser, Flaschen oder Vasen zusätzlich noch einige Blumen, Kräuterzweige oder kleine Äste stecken. Man bekommt das Granulat in Bastelläden und den entsprechenden Abteilungen großer Kaufhäuser.

3. Geschenkbänder & Co.

… werten jede Tischdekoration schnell und preisgünstig auf, zumal die meisten waschbar sind. Wie auch bunte Kordeln, Silberdraht und Paketschnüre aus Naturfaser eignen sie sich bestens zum Umwickeln von zusammengerollten Servietten, zum Verschnüren von Schachteln oder zum Zusammenbinden von Sträußchen, z. B. aus Kräutern. Breitere Seidenbänder kann man nach Lust und Laune mit Perlen und Blüten benähen und als Tischbanderolen einsetzen.

4. Alufolie

… lädt wegen ihrer leichten Verformbarkeit zu kreativen Spielereien ein, die man auch bestens für den Tischschmuck einsetzen kann. Einfach Alufolienstreifen durch Zusammendrücken, Pressen und Rollen zu Figuren formen – etwa zu einem Valentins-Herz. Darüber hinaus verleiht Alufolie mit ihren Lichtreflexen z. B. Flaschen neuen Glanz: Eine leere Flasche mit Alufolie umwickeln, gut andrücken und zusätzlich mit Strass-Steinchen u. Ä. bekleben – fertig ist die Vase.

5. Äste & Blüten

… verleihen jedem Tisch einen Hauch Frische und Natürlichkeit. Und das Beste: Sie wirken schon toll, wenn man sie einfach lose auf dem Tisch arrangiert – und sind meist gratis zu organisieren. Blüten können mit Nadel und Faden natürlich auch zu einer Kette aufgezogen werden, die als Banderole den Tisch schmückt oder einen Teller umrahmt. Interessant geformte Äste, in eine schlichte Vase gesteckt, sind auch ein schöner Hingucker. Also, Augen auf beim nächsten Spaziergang!

6. Kräuter & Gewürze

… sind wunderbare Deko-Elemente und nicht nur was fürs Auge, sondern auch für die Nase – egal, ob frisch oder getrocknet. Frische Kräuter machen sich hübsch, wenn man sie mit bunten Bändern zu Sträußchen bindet oder in kleinen Vasen auf den Tisch stellt. Auch das Gewürzregal bietet viele Möglichkeiten: Für einen orientalischen Abend umwickeln Sie z. B. einige Zimtstangen mit Silberdraht und befestigen daran zusätzlich ein Stück Sternanis.

7. Lebensmittel

... hat man immer im Haus. Warum also nicht damit dekorieren, am besten abgestimmt auf das Menü? Für einen italienischen Pastaabend z. B. Spaghetti mit Bändern in den Landesfarben zusammenbinden und als »Nudel-Mikado« aufstellen. Oder kurze, bunte Nudeln (z. B. Farfalle) in Glasvasen füllen. Frühlingsfrisch wird's mit kleinen Kressebeeten: Aus dem Pappkarton nehmen, auf schöne, flache Teller stellen und frische Blüten hineinstecken.

8. Siegellack

... veredelt z. B. Tischkarten und eignet sich bestens, um Umschläge oder Tüten dekorativ zu verschließen. Siegellackstangen samt Siegel gibt es in Papeterien und den entsprechenden Abteilungen großer Kaufhäuser. Man erwärmt den Lack am besten mit Hilfe eines Feuerzeugs oder über einer Kerze, träufelt den Lack auf die gewünschte Stelle und drückt sofort das Siegel hinein. Statt eines Siegels können Sie natürlich auch ein Geldstück oder eine Medaille verwenden.

9. Schachteln

... sind bei der Tischgestaltung äußerst vielseitig einsetzbar. Das Dekorationsprinzip ist zwar mehr oder weniger immer das gleiche, doch durch unterschiedliche Größen, Farben und Füllungen entsteht immer wieder etwas gestalterisch völlig Neues. In Bastelläden und Papiergeschäften finden Sie ein breites Sortiment an Schachteln. Individueller sind natürlich selbst gebastelte oder veredelte Schachteln. Wie's geht, steht auf Seite 12.

10. Zeitschriften

... vor dem Entsorgen in den Papiercontainer unbedingt noch einmal durchblättern, denn sie sind eine wahre Fundgrube für dekorative Bildmotive. Im Copyshop in entsprechender Anzahl farbkopiert, werden daraus dann Serviettenbanderolen oder Schmuckmotive für Einladungs- und Tischkarten. Sie können schöne Zeitungsausrisse auch im Copyshop auf DIN-A3-Format vergrößert farbkopieren und anschließend laminieren lassen – ergibt witzige Tischsets.

11. »Krimskrams«

... wie beispielsweise Plastikblumen und -figürchen, kleine Spiegelchen, Alu-Buchstaben usw. peppen jede Tischdeko schnell und preisgünstig auf. Sie sind in Bastelläden, Deko-Geschäften oder Spielzeugläden erhältlich. Frei kombiniert mit »Fundstücken« aus dem Haushalt wie z. B. ausrangiertem Spielzeug und Ähnlichem, werden daraus witzige, freche »Eye-Catcher«. Einfach inspirieren lassen und loslegen!

12. Asiatisches

... gibt für eine einfallsreiche Tischdeko unglaublich viel her. Asienläden bieten einen riesigen Fundus an optisch reizvollen Lebensmitteln wie z. B. getrockneten Seetang, Sesamcracker, gezuckerte Lotuswurzeln, Brotringe, getrocknete rote Melonenkerne usw. Darüber hinaus gibt es dort auch eine Vielzahl an dekorativen Dingen wie Ess-Stäbchen, Räucherstäbchen und viele Sorten Yoshpapier – alle ganz einfach in die Deko integrierbar.

7

8

9

10

11

12

Die Top 9 der Bastelmaterialien

1. Werkzeug

Was Sie zum Basteln zu Hause haben sollten: eine **Allzweckschere** für Papier, Karton, Stoff und Draht; ein **Teppichmesser** oder einen **Cutter** (9/18 mm, mit auswechselbarer Klinge) für genaues Schneiden; ein **Geodreieck** oder **Lineal** (am besten aus Metall); feine und breite **Kunsthaarpinsel** sowie **Bunt-** und **Filzstifte** (am besten wasserfest).

2. Klebstoffe

Wasserfreier **Alleskleber** eignet sich vor allem für Papier und Pappe, da er wellfreies Kleben ermöglicht. **Fotoklebstoff** (z. B. Fixogum) kommt immer dann zum Einsatz, wenn die Klebefläche wieder rückstandsfrei entfernt werden soll. **Sprühkleber** ist perfekt für großflächiges Kleben und das Befestigen kleiner Deko-Elemente.

3. Papier

… ist fürs Basteln unentbehrlich. Folgende Sorten werden in diesem Buch verwendet: braunes **Packpapier** von der Rolle (85 g/qm); **Transparentpapier** (90 und 110 g/qm); **Geschenkpapier**; **Gold-** und **Silberpapier**; **Pergaminpapier** (42 g/qm); **Seidenpapier** (durchgefärbte Bögen, 50 x 70 cm) und **Yoshpapier** (Asienladen).

4. Filz

… bringt beste Basteleigenschaften mit: Er ist elastisch, flust nicht und lässt sich leicht schneiden, stanzen, nähen, spannen, heften und kleben. Außerdem fransen die Schnittkanten nicht aus. Und schließlich ist er in endlos vielen Farben erhältlich. Während **Bastelfilz** nicht waschbar ist, kann **Natur-** bzw. **Wollfilz** gewaschen werden.

5. OHP-Folie

… ist eigentlich fürs Auflegen auf Tageslichtprojektoren gedacht, doch man kann sie ganz wunderbar zweckentfremden und beispielsweise in dekorative »Texttörtchen« (Anleitung Seite 44) oder »Souvenir-Umschläge« (Anleitung Seite 87) verwandeln. Sie bekommen die durchsichtige Folie überall, wo es Bürobedarf gibt.

6. Plakafarben

… sind in zig Farben erhältlich und eignen sich für die unterschiedlichsten Materialien wie z. B. Papier, Karton, Glas, Stein und Holz. Sie sind gut deckend, mit Wasser verdünnbar, lichtecht und man kann sie für eigene Farbkreationen problemlos miteinander mischen. Beim Auftragen auf einen sauberen, fettfreien Untergrund achten.

7. Silberdraht

… eignet sich nicht nur zum Befestigen, sondern wird ruckzuck zum edlen Deko-Element: Zu Strängen verflochten wird daraus ein Kerzenlüster (siehe Seite 57), mehrmals um eine Serviette gewunden, dient er als schmucke Banderole (Seite 107). Es gibt verschiedene Stärken, für die Basteleien in diesem Buch eignet sich Draht mit 1 mm Durchmesser.

8. Ösen

… ist eine schöne Alternative zum Kleben. Ösenzange und Ösen sind in jedem Baumarkt und in vielen Stoffläden erhältlich. Es gibt auch Komplettpakete mit Ösen und einer einfachen Ösenzange, die völlig ausreicht, wenn Sie nur hin und wieder basteln. Ösen gibt es in verschiedenen Stärken, gut geeignet sind solche mit 4 mm Durchmesser.

9. Die Stanze

… erleichtert das Arbeiten enorm, wenn es z. B. um das exakte Ausschneiden von Kreisen geht. Man setzt sie einfach auf und stanzt die entsprechende Form durch festes Drücken oder leichtes Schlagen mit dem Hammer aus. Gut zu wissen: In diesem Buch wird durchweg eine runde Stanze mit 3 cm Durchmesser verwendet.

1. Laminieren

1 Interessante Papierverpackungen, Fotos, Postkarten oder ganze Collagen – all diese Materialien können in jedem Copyshop kopiert und dann laminiert, d. h. in Folie eingeschweißt werden. So werden sie optisch aufgewertet und zugleich haltbarer und widerstandsfähiger gemacht.

2 Laminatfolie gibt es in unterschiedlichen Stärken: 100 g/qm, 125 g/qm und 150 g/qm. An Formaten kommen DIN A4 und DIN A3 zum Einsatz. Wird das Laminat später z. B. noch zu einer Serviettentasche weiterverarbeitet, wählen Sie die kleinste Grammatur (100 g/qm).

3 Die beiden stärkeren Grammaturen eignen sich vor allem für die Herstellung von Tischsets im DIN-A3-Format. Kleiner Tipp: 2 gleich große, unterschiedliche Bildmotive Rücken an Rücken zusammenkleben und laminieren lassen – ergibt ein Tischset für zwei Gelegenheiten.

2. Schachteln falten

1 Für 1 Schachtel der Größe 10 x 10 x 10 cm brauchen Sie 1 Stück Fotokarton im Format 30 x 30 cm, eine Schere und Klebstoff. Und so geht's: Den Bogen längs und quer jeweils nach 10 cm durchgehend markieren und leicht einritzen. So ergeben sich neun Quadrate.

2 Von einer Außenseite (unten) an den beiden markierten Linien mit der Schere oder dem Cutter jeweils 10 cm bis zur Ecke des mittleren Quadrates schneiden. Von der gegenüberliegenden Außenseite (oben) ebenfalls zweimal 10 cm tief einschneiden.

3 Die linke und rechte Außenseite hochklappen, die überstehenden Quadrate jeweils nach innen falten, dabei auf exakte Kanten achten. Nun das obere und untere Quadrat hochklappen und mit den eingefalteten Quadraten verkleben.

3. Tüten falten

1 Für 1 Tüte von 10 x 12 x 3 cm 1 Stück Transparentpapier im Format 15 x 28 cm auf der langen Seite jeweils nach 3 cm, nach 13 cm, nach 16 cm und nach 26 cm markieren, auf der kurzen Seite nach 3 cm. An der Längsseite mit der Schere jeweils bis zur 3-cm-Markierung einschneiden (4 Schnitte).

2 Von der Schmalseite her an den 4 Markierungen falten, so dass eine Tüte entsteht. Für den Boden die 5 Laschen nach oben falten und nach innen klappen.

3 Den 2 cm breiten Streifen von innen an den 3 cm breiten Seitenstreifen kleben. Die nach innen geklappten Bodenteile ebenfalls verkleben.

1. Asiatisch

Für eine witzige Einladung zum Sushi-Abend 1 leere Nudelsuppen-Verpackung (Asienladen) vorsichtig auseinander lösen und evtl. pressen. Im Copyshop farbkopieren lassen. Die Kopie mit durchsichtiger Klebefolie bekleben, auf Postkartengröße zurechtschneiden. 1 Stück gelben Fotokarton (Postkartengröße) mit dem Einladungstext beschriften. Die Kopie und den Fotokarton aufeinander kleben, so dass das Nudelsuppen-Motiv und der Text jeweils nach außen zeigen.

2. Gewürzt

Zur Einstimmung auf ein exotisches Essen: 1 Stück weißen Fotokarton (Postkartengröße) mit den Namen einiger Gewürze beschriften. Dabei genügend Platz zwischen den Namen lassen. Jeweils 2–3 Prisen eines Gewürzpulvers auf der entsprechenden Stelle des Papiers verreiben. Die Karte auf der »gewürzten« Seite mit durchsichtiger Klebefolie bekleben. Auf die Rückseite den Einladungstext schreiben. Die Karte in einem transparenten Umschlag verschicken.

3. Bunt

Kunterbunt und ideal, wenn kleine Gäste eingeladen werden: 1 Bogen weißen Fotokarton (DIN A4) so falzen, dass eine Doppelkarte im DIN-A5-Format entsteht. Die Karte aufklappen und den Einladungstext hineinschreiben. Mit einem Locher in das obere Drittel der Kartenvorderseite mittig zwei ca. 3 cm auseinander liegende Löcher stanzen. Ringelband durch die Löcher ziehen, auf der Vorderseite verknoten. 3 bunte, unaufgeblasene Luftballons mit einer Schleife daran befestigen.

4. Mediterran

Das sieht nach Sommer, Strand und Meer aus: 1 Stück Bastgeflecht (Postkartengröße) an allen Kanten unregelmäßig etwas ausfransen. Auf 1 Stück Transparentpapier (8,5 cm x 12,5 cm) mit einem blauen Filzstift oder mit einem Silberfaserstift den Einladungstext schreiben. Das Transparentpapier mit Klebstoff mittig auf das Bastgeflecht kleben. Nach Belieben zusätzlich 1 kleine, flache Muschel darauf kleben. Die Einladungskarte am besten in einem meerblauen Briefumschlag verschicken.

5. Orientalisch

1001 Nacht schon im Briefkasten: Mit einer stumpfen Stricknadel in 1 Stück Silberprägefolie (Postkartengröße) ein schönes Muster sticheln. 1 Stück Transparentpapier (Postkartengröße) mit schwarzem Filzstift mit dem Einladungstext beschriften. Prägefolie und Transparentpapier aufeinander legen, so dass das Muster und der Text jeweils nach außen zeigen. Die Folie und das Papier an der schmalen Seite oben mittig lochen. Durch das Loch 1 Stück rotes Seidenband ziehen und zu einer dekorativen Schleife binden.

6. Herbstlich

Wenn Sie Ihre Einladungen zur rustikalen Herbsttafel einmal auf originelle Weise verschicken möchten: 1 Stück Filz (12 x 16 cm) unten bündig auf 1 weiteres Stück Filz (12 x 23 cm) legen und mit Nadel und Faden an drei Seiten grob zusammennähen. Die Einladung in die so entstandene Tasche stecken. Den überstehenden Filz umklappen und den Umschlag mit Nadel und Faden zunähen. 1 Stück Papier (4 x 5 cm) mit der Adresse beschriften und auf den Umschlag nähen oder kleben.

1. Gestanzte Tischdecke

Aus 1 Stück Naturfilz (etwa 2 x 2 m), einer runden Stanze (3 cm Ø; siehe Seite 10) und Buntpapier lässt sich schnell eine raffinierte Tischdecke zaubern: Mit der Stanze schön verteilt Löcher in den Filz stanzen. Aus dem Buntpapier ca. 4 cm große Stücke schneiden und mit Klebstoff von hinten auf die ausgestanzten Löcher kleben. Statt Buntpapier können Sie z. B. auch Postkarten, Bilder aus Illustrierten u. Ä. verwenden.

2. Loveletter-Tischdecke

Wenn Sie Ihre(n) Liebste(n) zu einem romantischen Dinner for Two einladen: Auf 10 Papierstücke (je 5 x 5 cm) jeweils einen netten Spruch, ein poetisches Zitat o. Ä. schreiben. Mit dem Text nach oben auf eine Papiertischdecke kleben. 10 Stücke Transparentpapier (je 6 x 6 cm) jeweils auf einer Seite nach 1 cm einritzen. Den so entstandenen Streifen jeweils mit Klebstoff bestreichen, je 1 Transparentpapier über 1 beschriftetes Papierstück kleben.

3. Blüten-Tischdecke

Schön im Frühling und im Sommer: eine Tischdecke mit Blütenrand. Dafür ganz einfach fertig gekaufte kleine Papierblüten an den Tischdeckenrand nähen. Oder die Papierblüten auf Nylonfäden aufziehen und die so entstandene(n) Girlande(n) als Banderole(n) über eine Stofftischdecke legen. Oder frische Frühlings- und Sommerblüten lose auf dem mit einer weißen Stofftischdecke bedeckten Tisch verteilen.

4. Print-Tischdecke

In Copyshops, die auch T-Shirt-Druck anbieten, können Sie ebenfalls eine Tischdecke oder ein Stück Stoff in entsprechender Größe bedrucken lassen. Das Motiv (max. 30 x 40 cm) wählen Sie dem Anlass entsprechend: für einen Asia-Abend z. B. das Yin-&-Yang-Symbol, für ein Geburtstagsessen ein Foto des Geburtstagskindes – Ihrer Fantasie sind keine Grenzen gesetzt! Bögen zum Aufbügeln kann man auch im Tintenstrahldrucker selbst bedrucken.

5. Tüll-Tischdecke

Eine einfache Stofftischdecke lässt sich mit einem langen Stück farbigem Tüll auf ganz einfache Art veredeln: Die Tischdecke auf den Tisch legen und an den Seiten mit einer Tüll-Girlande schmücken. Dafür den Tüll entweder an mehreren Punkten raffen und mit Sicherheitsnadeln anstecken oder mit wenigen Stichen am Tischtuch annähen. An den Haltepunkten der Girlande können Sie zusätzlich z. B. frische Blüten befestigen.

6. Transparent-Tischdecke

Wenn Sie Ihren schönen Holz- oder Glastisch zur Geltung bringen, auf eine Tischdecke aber trotzdem nicht verzichten möchten, nehmen Sie ein entsprechend großes Stück Gardinenspitze (am besten ohne eingearbeitete Muster) als Tischdecke. Mit schmalen gold- oder silberfarbenen Geschenkbändern (oder auch Lametta), die Sie durch den durchbrochenen Stoff ziehen, erzielen Sie zusätzlich wunderbare Glamour-Effekte.

1

2

3

4

5

6

1. Blüten- schachtel

Frühlingsbote und nettes Gastgeschenk in einem: Für 1 Tischkarte in 1 kleine oran- gefarbene Schachtel (fertig gekauft oder selbst gebastelt, siehe Seite 12) 1 frische (z. B. pinkfarbene) Tulpenblüte stecken. Auf einen schmalen Streifen Transparentpapier mit dünnem schwarzem Filzstift den entsprechenden Namen schreiben. Den Transparent- papierstreifen mit einer Steck- nadel vorsichtig auf den Blü- tenstempel der Tulpe stecken.

2. Poesie- Tischkarte

Für 1 Tischkarte 1 Stück schwarzen Fotokarton (15 x 25 cm) auf der Längsseite nach 2,5, 12,5 und 22,5 cm durch- gehend leicht einritzen. Den Karton an den drei Einritzun- gen falten. Die beiden 2,5 cm breiten Streifen zu einem Standfuß verkleben. Eine Vorderseite der so entstan- denen Karte mit 1 Rosen- Poesiebild bekleben und den Namen mit einem Gold- oder Silberstift auf den Foto- karton schreiben.

3. Namenskette

Aus kleinen weißen Styro- porkugeln (gibt's im Bastel- geschäft) und buntem Geschenkband schnell gemacht: Auf jede Kugel mit einem wasserfesten Stift einen Buchstaben des Namens malen. Die Kugeln der Reihe nach auf 1 Stück buntes Geschenkband auf- ziehen, so dass der Name zu lesen ist; das Band vorne und hinten verknoten. Die Kette entweder auf den Teller legen oder über die Stuhllehne hängen.

18

4. Rate-Karten

Wenn Sie Gäste einladen, die sich untereinander noch nicht kennen: Schneiden Sie aus Zeitschriften u. Ä. Figuren oder Motive aus, die Sie an Ihre Gäste erinnern – pro Gast eine passende Figur bzw. ein pas- sendes Motiv. Jeweils auf Fotokarton kleben, mit durch- sichtiger Klebefolie bekleben und ausschneiden. Auf jeden Teller eine Figur legen – und die Gäste gemeinsam erraten lassen, wer an welchem Platz sitzen soll. So kommen die Gäste ganz von selbst mitei- nander ins Gespräch.

5. Insel-Urlaub- karte

Wenn es bei Ihrem Menü kulinarisch in den Süden geht: Aus gelber Knetmasse (gibt's im Bastelgeschäft) eine kleine »Insel« formen und auf die obere Hälfte von 1 Stück blauem Fotokarton (6 x 9 cm) setzen. Auf die untere Hälfte des Fotokar- tons mit einem Silber- oder Goldstift den Namen schrei- ben. In die »Insel« 1 silber- farbenes Cocktail-Schirm- chen stecken (in Haushalts- waren- und Geschenk- artikelläden erhältlich).

6. Schachtel- Menü

2 kleine, flache Schachteln (fertig gekauft oder selbst ge- bastelt, siehe Seite 12) mit der Öffnung nach unten aneinan- der stellen, mit durchsichtigem Klebeband zusammenkleben und wieder umdrehen. In die eine Schachtel einige kleine Zutaten oder Gewürze des Menüs legen – z. B. frische Chilischoten, getrocknete Pilze, Kräuterzweige usw. Auf 1 Stück Goldpapier im Format des Schachtelbodens das Menü schreiben und in die andere Schachtel legen.

EVA

1

3

MANFRED

2

camille

jörg

4

5

6

Radicchiosalat
mit Blütenessig

Gemüseragout
mit rotem Pfeffer

Orangenkuchen
in Limonensirup

EINLADUNG

19

1. Serviette mit Öse

Papierservietten auf äußerst einfache Art und Weise aufgepeppt: 3 Papierservietten in verschiedenen Farben jeweils einmal der Länge nach falten und bündig aufeinander legen. An der Schmalseite oben in der Mitte lochen und ösen (siehe Seite 10). 1 frische Papier- oder Plastikblüte durch die Öse stecken. Oder 1 Stück Geschenkband durch die Öse ziehen und eine kleine Weihnachtskugel damit an die Servietten binden.

2. Süße Serviettentüte

Diese Tüte ist erst was fürs Auge, dann für den Gaumen! 2 Stücke Esspapier (Süßwarenladen; jeweils 9 x 12 cm) aufeinander legen und mit groben Stichen an drei Seiten vorsichtig zusammennähen, so dass ein Umschlag entsteht. 1–2 EL Puderzucker mit etwas Wasser zu einer dicken Glasur verrühren und damit einige Zuckerblüten an die Tüte kleben. Trocknen lassen. Die Serviette vorsichtig in die Tüte stecken.

3. Glitzerserviette

Mit dieser Serviette ist für funkelnde Augenblicke gesorgt ... 1 Papierserviette auseinander falten. Rund herum auf den Rand etwas Klebstoff auftragen. Auf den Klebstoffrand bunten Glimmer streuen. Gut trocknen lassen, die Serviette umdrehen und den Vorgang wiederholen. Gut trocknen lassen, gegebenenfalls losen Glimmer abschütteln, dann die Serviette vorsichtig wieder zusammenlegen.

4. Asia-Serviette

Den Wok auf den Herd und diese Serviette auf den Tisch: 1 weiße Stoffserviette einmal zur Hälfte falten, aufrollen und etwas platt drücken. 1 Paar Ess-Stäbchen mit 2–3 Stängeln Zitronengras oder 1 Bambuszweig darauf legen. Das Ganze mit naturfarbenem Bast (gibt's im Bastelgeschäft) mehrere Male umwickeln, die Enden zu einer Schleife verknoten. In die Schleife nach Belieben ein Kaffir-Limettenblatt oder eine frische Blüte stecken.

5. Blumen-Serviette

Durch die süße Blume gesagt: 1 grüne Papierserviette einmal zur Hälfte falten. Aus 1 Stück gelbem Fotokarton erst einen Kreis, daraus einen Kranz aus Blütenblättern ausschneiden, der 1 flachen, roten Lolli umgeben soll. Diesen »Blütenkranz« mit einer Glasur aus 1–2 EL Puderzucker und etwas Wasser an die Rückseite des Lollis kleben. Auf die Serviette legen und mit gelbem Geschenkband umwickeln.

6. Serviette im Glas

Da blüht Ihren Gästen was! 1 weiße Papierserviette zusammenrollen und in ein hohes, transparentes Longdrink- bzw. Becherglas stellen. In die Mitte – je nach Jahreszeit – einen Strauß Gänseblümchen, einige frische Blüten oder Ästchen, eine Papierblüte oder ein kleines Kräutersträußchen (z. B. Schnittlauch oder Basilikum), hineinstecken – bei frischen möglichst spät, damit sie nicht verwelkt sind, bis die Gäste kommen.

Bestecktasche

1 Besonders schick mit einer gestreiften Serviette: Die obere Kante einer Serviette (40 x 40 cm) ca. 7 cm nach unten schlagen. Die Hälfte davon wieder zurückfalten.

2 Mit dem Bügeleisen gut pressen, so dass exakte Kanten entstehen. Die Serviette wenden. Das untere freie Stoffende zur Hälfte nach oben schlagen.

3 Die linke und rechte Seite zu je einem Drittel nach innen falten und ineinander stecken. Umdrehen, auf den Teller legen und das Besteck in die Tasche schieben.

Lilie

1 Die Serviette (50 x 50 cm) einmal diagonal zum Dreieck falten. So drehen, dass die offene Spitze nach oben zeigt. Die beiden Seiten zur Spitze nach oben falten.

2 Die geschlossene untere Ecke bis etwa 6 cm über die gedachte Mittellinie nach oben falten. (Nach jedem Arbeitsschritt mit dem Bügeleisen gut pressen.)

3 Die über die Mittellinie ragende Spitze nach innen falten und einschlagen. Wieder pressen.

4 Den unteren Teil samt der eingefalteten Spitze bis zur gedachten Mittellinie nach oben klappen.

5 Die Serviette wenden und die beiden seitlichen Spitzen des nun dicken Stoffwulstes so ineinander stecken, dass es hält.

6 Die Serviette umdrehen, aufstellen und die beiden Spitzen der äußeren Stoffschicht so nach unten ziehen, dass die Serviette die Form einer Lilie erhält.

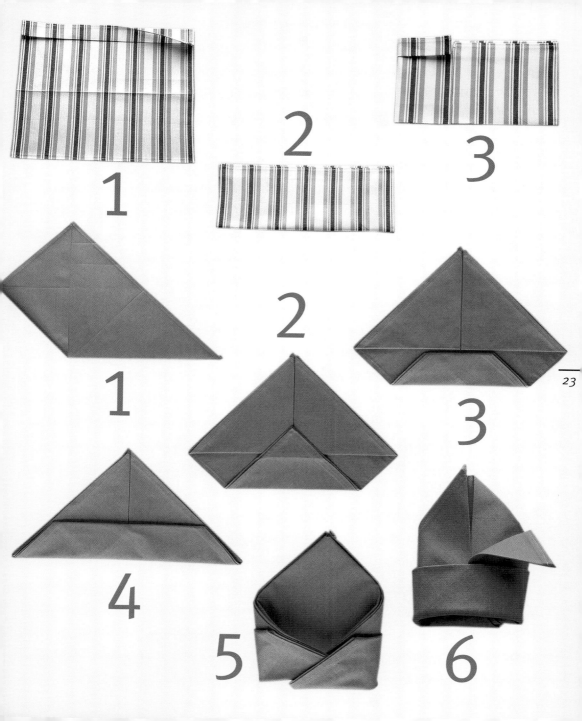

1

2

3

1

2

3

4

5

6

Vierzack

1 Eine Stoffserviette (etwa 50 x 50 cm) zur Hälfte nach unten falten. Die linke untere Ecke der oberen Stoffschicht auf die rechte untere Ecke legen.

2 Die Kanten des so entstandenen Dreiecks gut pressen. Die nach rechts gelegte Ecke zur linken Spitze zurückfalten (das Dreieck klappt nach innen).

3 Die rechte Seite (beide Stoffschichten) zur linken Spitze umschlagen. Wieder gut pressen. Den Vierzack aufstellen und auf dem Teller platzieren.

Bischofsmütze

1 So falten Sie diesen Klassiker, der nie aus der Mode kommt: Eine Stoffserviette (50 x 50 cm) zweimal zur Hälfte falten, so dass ein Quadrat entsteht.

2 Das Quadrat so drehen, dass die offenen Ecke nach oben zeigt. (Nach jedem Arbeitsschritt mit dem Bügeleisen pressen, damit exakte Kanten entstehen.)

3 Die obere Lage – wie auf dem Bild zu sehen – zur Hälfte nach oben falten, wieder gut pressen.

4 Die obere Lage etwa 1 cm breit ziehharmonikaförmig einfalten. (Hier ist genaues Pressen besonders wichtig!) Die Serviette um 90° drehen und wenden.

5 Die untere Hälfte des auf der Spitze stehenden Quadrates nach oben umschlagen. Dabei fächern die Ziehharmonikafalten auf.

6 Mit beiden Händen hoch nehmen. Die rechte und die linke Spitze nach hinten führen und ineinander stecken. Die Bischofsmütze umdrehen und aufstellen.

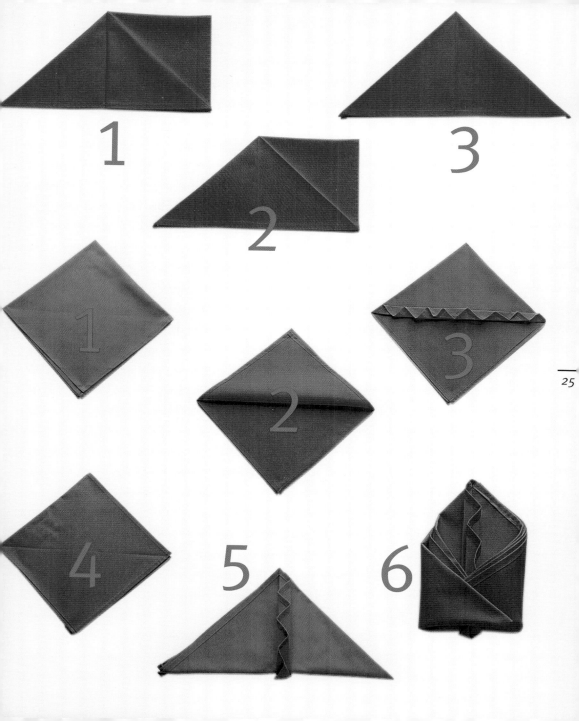

Schön schnell –
Tischdeko für
jeden Tag

Anna

Alltägliches in neuem Glanz

Eine einfallsreiche Tischdekoration muss nicht automatisch teuer oder mit viel Arbeit verbunden sein. Denn ob leere Glasflaschen und Dosen, gebrauchte Weinkorken oder alte Geschenkbänder – vieles, was normalerweise in den Abfall oder Glascontainer wandert, lässt sich mit wenig Aufwand in witzige, kleine Dekorationselemente verwandeln. Und auch ganz alltägliche Gebrauchsgegenstände wie beispielsweise Wäscheklammern lassen sich äußerst dekorativ zweckentfremden. Wer's nicht glauben mag, lässt sich hier einfach inspirieren!

Blütengruß

Kleine Schnapsgläser finden sich in fast jedem Haushalt. Und die können statt Hochprozentigem auch einmal etwas fürs Auge beinhalten: Stellen Sie pro Gast ein Schnapsglas auf den Teller, in das Sie jeweils eine große, aufgeblühte Blüte stellen. Oder Sie nehmen statt Schnapsgläsern kleine, leere Flaschen ohne Etikett: Diese können Sie zusätzlich mit einem Lackstift bemalen oder mit bunten Geschenkbändern, Silberdraht oder Bast umwickeln.

Angeklammert

Mit Wäscheklammern aus Holz oder aus Plastik kann man nicht nur feuchte Wäsche aufhängen: 1 kleines Stück Fotokarton mit dem entsprechenden Namen versehen oder mit der Menüabfolge beschriften und zusammen mit einer (eventuell gefalteten) Papierserviette mit einer Wäscheklammer am Tellerrand festklemmen.

Licht aus der Dose

Flache Blechdosen, z. B. leere Ölsardinen-Dosen, gründlich reinigen und gut abtrocknen. Die Dosen mit Zucker, Vogelsand oder buntem Granulat füllen und je ein Teelicht hineinsetzen.

Zum Kringeln

Einen kleinen Keks- oder Gebäckkringel auf ein schmales Geschenkband aufziehen. Einen Papierstreifen mit dem entsprechenden Namen beschriften, an der schmalen Seite lochen und ebenfalls auf das Geschenkband aufziehen. Das Band an den Henkel eines Bechers binden.

Was vom Weine übrig blieb …

Weinkorken nicht wegwerfen, sondern zur Tischkarte umfunktionieren: Das breitere Ende des Korkens mit einem scharfen Messer gerade schneiden, so dass er stabil steht. Den Korken mit Plakafarbe bemalen und gut trocknen lassen. Einen kleinen Papierstreifen mit dem Namen beschriften und mit einer Stecknadel auf den Korken stecken. **Oder:** Wer weder Weinkorken noch Plakafarbe hat – halbierte Zitronen leisten den gleichen Dienst.

Servietten aufgepeppt

Aus buntem Zeichenpapier kleine Quadrate schneiden und diese z. B. mit einem Gold- oder Silberstift mit den Namen der Gäste, netten Zitaten oder anderen passenden Texten beschriften. Die Zettel jeweils mit einer Sicherheitsnadel an zusammengerollte Servietten stecken. **Oder** eine Papierserviette einrollen und mit möglichst vielen schmalen Geschenkbändern in unterschiedlichen Farben umwickeln. Diese dann zu einer schönen Schleife binden. Dazwischen nach Belieben noch eine kleine Blume, einen Lolli, einen Stängel Zitronengras, einen Strohhalm oder etwas anderes stecken, das auf das folgende Menü abgestimmt ist. **Oder** ein Stück Alufolie zusammenrollen, zu einer Banderole formen und die aufgerollte Serviette hineinstecken. **Oder** von kleinen, leeren Tomatenmark-Dosen mit einem sanft schneidenden Dosenöffner auch den Dosenboden entfernen, gründlich reinigen und als Serviettenring verwenden.

raffiniert »Guten Morgen«- Tischdecke

(im Bild rechts unten)

Material für 1 Tischdecke:
**ca. 40 kleine Anhänger (z. B. Plastik-
    blüten und -figürchen, Souvenirs,
    Glitzerperlen usw.)**
**10 bunte Geschenk- oder Ringelbänder,
    je 30 cm lang**
Klebstoff
Nähnadel + Faden
1 Stoff- oder Papiertischdecke

Zeitaufwand: ca. 15 Min.

1 Jeweils 4 kleine Anhänger an ein Geschenkband kleben oder binden.

2 Die Geschenkbänder mit einigen Stichen
schön verteilt an die Kanten der Tischdecke
nähen.

ganz einfach Frühstücksset

(im Bild hinten)

Material für 1 Tischset:
1 Stück pinkfarbener Filz, 29 x 40 cm
1 Stück roter Filz, 35 x 40 cm
1 Stück orangefarbener Filz, 25 x 32 cm
Nähnadel + Faden

Zeitaufwand: ca. 10 Min.

1 Den pinkfarbenen Filz seitlich mittig und
oben bündig auf den roten Filz legen, den
orangefarbenen in gleicher Weise auf den
pinkfarbenen Filz legen.

2 Alle drei Filzstücke mit Nadel und Faden an
der oberen Kante zusammennähen.

farbenfroh Bunter Glasteller

(im Bild links)

Material für 1 Teller:
bunte Papierschnipsel
Ausrisse
Yoshpapier
Schere
**1 durchsichtiger Glasteller
    (ca. 30 cm Durchmesser)**
50 ml farbloser Dekorlack
Pinsel in unterschiedlichen Stärken
**je 15 ml Dekorlack in den gewünschten
    Farben**
15 ml Hochglanzlack

Zeitaufwand: ca. 20 Min.
Zeit zum Trocknen: 1 Std.

1 Aus den Papierschnipseln kleine Kreise und
aus den Ausrissen und dem Yoshpapier kleine
Blüten ausschneiden.

2 Die Stellen an der Unterseite des Tellers,
die beklebt werden sollen, mit dem farblosen
Dekorlack bestreichen. Die Kreise und Blüten
aufkleben. Die Collage gut trocknen lassen.

3 Die freien Flächen auf der Unterseite des
Tellers mit Buntlack bemalen. Die Farbflächen
gut trocknen lassen.

4 Die komplette Unterseite des Tellers mit
Hochglanzlack versiegeln.

macht was her **Milchtüten-Vase**

Material für 1 Vase:
1 leere Milchtüte (Tetrapack)
Tapetenkleister
Zeitungspapier
weiße, rote und rosafarbene Plakafarbe
Pinsel
Klarlack

Zeitaufwand: ca. 30 Min.
Zeit zum Trocknen: 24 Std.

1 Die Milchtüte von außen und innen gründlich ausspülen und gut trocknen lassen. Die Milchtüte in eine schöne Form knicken.

2 Den Tapetenkleister nach Packungsanweisung anrühren. Das Zeitungspapier in Streifen reißen, beidseitig mit dem Kleister bestreichen und lagenweise auf die Milchtüte kleben (je mehr Schichten, desto runder wird die Form). Die »Vase« ca. 24 Std. trocknen lassen.

3 Die Vase mit weißer Plakafarbe grundieren, trocknen lassen, den Vorgang wiederholen.

4 Nach dem Trocknen der Grundierung die Vase mit der roten und der rosafarbenen Plakafarbe nach Lust und Laune bemalen. Die Farbe wieder trocknen lassen, schließlich mit Klarlack versiegeln.

Clever dekoriert
Eine **interessante Oberfläche** erzielen Sie, wenn Sie als vorletzte Schicht ein Stück **Strukturtapete** auf die Milchtüte kleben. Darüber noch mindestens eine Lage Zeitungspapier kleben, damit die Farben gut haften!

geht schnell **Papierblüten-Girlande**

(im Bild rechts oben)

Material für 1 Girlande:
15 Papierblüten (Bastelladen)
Nähnadel
ca. 1 m Faden

Zeitaufwand: ca. 5 Min.

1 Die Papierblüten mit der Nadel auf den Faden aufziehen und an beiden Enden verknoten.

2 Die Girlande dekorativ über den Tisch legen.

geht schnell **Muffin in der Tüte**

(im Bild rechts unten)

Material für 1 Tüte:
1 Butterbrottüte
bunte Papierschnipsel und Filzreste
Klebstoff
1 Muffin
Ösenzange / 1 Öse
20 cm Geschenkband
kleine Anhänger (z. B. Papierblüten,
    kleine Plastikfiguren, Perlen,
    Federn o. Ä.)

Zeitaufwand: ca. 15 Min.

1 Die Butterbrottüte mit den Papierschnipseln und zurechtgeschnittenen Filzresten fantasievoll bekleben. Den Muffin in die Tüte geben.

2 Die Tüte oben mittig mit der Ösenzange lochen und die Öse eindrücken.

3 Das Geschenkband durch die Öse ziehen, verknoten und die kleinen Anhänger daranbinden.

ganz einfach **Süße Türmchen**

(im Bild links oben)

Material für 1 Türmchen:
2 EL Puderzucker
2 Stücke Pfefferminzfondant
1 Kokosmakrone
2 Zuckerherzen
2 Smarties
1 Silberperle
1 schmaler Papierstreifen | Stift
ca. 15 cm bunter Blumendraht

Zeitaufwand: ca. 10 Min.

1 Den Puderzucker mit etwas Wasser zu einem dicken Guss verrühren. Die Süßigkeiten in der genannten Reihenfolge mit dem Guss aufeinander kleben und gut trocknen lassen.

2 Den Papierstreifen beschriften und an den Blumendraht binden. Den Draht in das süße Türmchen stecken.

einfach und lustig **Platzhirsch**

(im Bild links unten)

Material für 1 »Hirschen«:
1 Bonbon
ca. 15 cm buntes Geschenkband
1 Plastikhirsch (aus dem Spielwarenladen)
1 Plastikrose
1 kleines Stück Papier | Stift

Zeitaufwand: ca. 5 Min.

1 Das Bonbon mit dem Geschenkband auf den Rücken des Plastikhirsches binden, die Rose dazwischenstecken.

2 Das Papierstück mit dem entsprechenden Namen beschriften und den Namenszettel an das Geschenkband binden.

geht schnell ## Sprechende Eier

(im Bild rechts oben)

Material für 1 Ei:
1 gekochtes Ei
1 Buntstift
1 Eierbecher

Zeitaufwand: ca. 5 Min.

1 Das Ei mit einem netten »Guten Morgen«-Text beschriften. In den Eierbecher setzen und servieren.

Clever dekoriert
Wenn Sie **Gäste** zum Frühstück einladen, die sich untereinander noch nicht kennen, können Sie die Eier nach dem Prinzip der **Rate-Karten** von Seite 18 (siehe 4) gestalten: Malen Sie auf jedes Ei ein Bild oder Symbol, und lassen Sie alle gemeinsam erraten, welches Ei zu wem gehört.

ganz einfach ## Blütentee

(im Bild rechts unten)

Material für 2 Schalen:
1/2 Hand voll getrocknete Kamillenblüten
2 Schalen
einige frische Kamillenblüten

Zeitaufwand: ca. 10 Min.

1 1/2 l Wasser aufkochen, vom Herd nehmen und in eine Kanne oder Schüssel gießen. Die getrockneten Kamillenblüten hineinstreuen und 5 Min. ziehen lassen.

2 Den Tee durch ein Sieb in die beiden Schalen gießen.

3 Jeweils einige frische Kamillenblüten in die Schalen geben.

ganz einfach **Fruchtspieße**

(im Bild links oben)

Material für 3 Spieße:
1 Stück Wassermelone
6 Erdbeeren
6 Kirschen
3 Holzspieße
1 Teller
Blüten zur Dekoration
(nach Belieben)

Zeitaufwand: ca. 10 Min.

1 Die Wassermelone in kleine Würfel schneiden. Die Erdbeeren und die Kirschen waschen und trockentupfen.

2 Die Früchte abwechselnd auf die Spieße stecken. Auf einem Teller anrichten und nach Belieben mit frischen Blüten dekorieren.

34

ganz einfach **Eingetütete Serviette**

(im Bild links unten)

Material für 1 Serviette:
2 bunte Abbildungen,
jeweils 13 x 17 cm
Klebstoff
Zackenschere
(ersatzweise Haushaltsschere)
1 Serviette

Zeitaufwand: ca. 10 Min.

1 Die beiden Abbildungen Rücken an Rücken aufeinander legen und an drei Seiten zu einer Tüte zusammenkleben. Trocknen lassen.

2 Die Außenränder der Tüte mit der Zackenschere beschneiden. Die Serviette falten und in die Tüte stecken.

Clever dekoriert

Für die Tüten machen sich bunte **Briefmarken** aus fernen Ländern besonders hübsch. Diese im Copyshop auf die benötigten Maße vergrößert farbkopieren lassen und daraus die Servietten-Tüte basteln.

geht schnell **Serviette mit Banderole**

(im Bild rechts)

Material für 1 Serviette:
1 bunte Abbildung, 12 x 25 cm
Klebstoff
1 Serviette

Zeitaufwand: ca. 5 Min.

1 Die Abbildung an den schmalen Enden zu einem Ring zusammenkleben.

2 Die Serviette aufrollen oder schmal zusammenfalten und vorsichtig durch die Banderole stecken.

Clever dekoriert

Wenn die **Servietten-Banderole** öfter zum Einsatz kommen und dementsprechend stabiler sein soll, bekleben Sie die bunte Abbildung einfach mit transparenter Klebefolie. Das ist auch dann ratsam, wenn die Abbildung beispielsweise aus einer Zeitschrift stammt, d. h. die Papierstärke sehr gering ist.

[ingwer]

[pfeffer]

[curry]

36

[kümmel]

[chili]

geht schnell **Kräuterdosen**

(im Bild unten)

Material für 3 Dosen:
3 schöne leere Blechdosen (siehe Tipp)
3 Bund frische Kräuter

Zeitaufwand: ca. 5 Min.

1 Die Blechdosen mit warmem Wasser innen gut ausspülen. Dabei aufpassen, dass das Etikett nicht beschädigt wird.

2 Die Dosen mit etwas Wasser füllen und die Kräuter hineinstellen.

Clever dekoriert

In **Asienläden** gibt es Blechdosen mit bunten und witzigen Motiven in großer Auswahl. Wer es etwas gedeckter möchte, kann auch eine **normale Dose** nehmen und diese so lange in warmes Wasser legen, bis sich das Etikett ablösen lässt.

macht was her **Feuriger Kerzenständer**

(im Bild rechts oben)

Material für 1 Kerzenständer:
1 mehrarmiger Kerzenständer
entsprechend viele bunte Kerzen
200 g frische Chilischoten
Nähnadel
1 m Nylonfaden (0,25 mm dick)

Zeitaufwand: ca. 10 Min.

1 Den Kerzenständer mit den Kerzen bestücken.

2 Die Chilischoten mit Hilfe der Nadel auf den Nylonfaden aufziehen. Den Kerzenständer damit dekorativ umwickeln.

preiswert **Aroma-Tischdecke**

(im Bild hinten)

Material für 1 Tischdecke:
gemahlene Gewürze
(z. B. Zimt-, Curry-, Paprika-, Nelken-,
Ingwer-, Koriander-, Kümmel-, Chilipulver)
ca. 15 Stücke Papier, 5 x 7 cm
(z. B. normales Schreibpapier oder
Transparentpapier)
Stift
1 Tischdecke

Zeitaufwand: ca. 10 Min.

1 Jeweils einige Prisen des Gewürzes mit der Fingerspitze auf die Papierstücke reiben und den entsprechenden Namen des Gewürzes darunter schreiben.

2 Die Papierstücke auf der Tischdecke verteilen.

Clever variiert

Edler wirkt die Aroma-Tischdecke, wenn Sie wie auf dem Bild kleine **Gewürzbriefchen** aus Transparentpapier herstellen und darauf verteilen: Die Transparentpapierstücke (ca. 7 x 10 cm) einmal quer falten. Auseinander klappen und die obere Hälfte innen nahe der Falzkante mit dem Namen des Gewürzes beschriften. Darüber vorsichtig das Gewürzpulver einreiben. Die untere Hälfte des Transparentpapiers darüber klappen und an den Rändern verkleben. Sie können den Rand der Gewürzbriefchen zusätzlich mit einer gestrichelten Linie verzieren oder – etwas aufwändiger – mit feinen Stichen zusammennähen.

Clever dekoriert

Wenn Sie eine **Papiertischdecke** nehmen, können Sie die Gewürze direkt darauf reiben. Dann mit einem Stift die betreffende Stelle umranden und den Gewürznamen dazuschreiben.

38

macht was her Serviette zum Anknabbern

Material für 1 Serviette:
1 Serviette, 50 x 50 cm
1 Stück orangefarbener Filz, 6 x 28 cm
1 Stück roter Filz, 7 x 28 cm
Nähnadel + Faden
1 Stück Yoshpapier, 4 x 4 cm
Klebstoff
1 kleiner Brotring (Asienladen)
20 cm bunte Kordel
1 Sesamcracker (Asienladen)

Zeitaufwand: ca. 10 Min.

1 Die Serviette dreimal falten.

2 Den orangefarbenen Filzstreifen mittig auf den roten legen und als Banderole um die Serviette legen. Die Banderole an der Rückseite mit ein paar Stichen zusammennähen.

3 Das Yoshpapier mittig auf die Vorderseite der Banderole kleben.

4 Den Brotring an die Kordel binden und diese an der Rückseite der Filzbanderole festnähen. Sesamcracker und Brotring auf dem Yoshpapier arrangieren.

Clever variiert

Was Sie auf der Serviette zum Anknabbern »servieren«, können Sie ganz auf die jeweilige Mahlzeit abstimmen. Statt Sesamcracker und Brotkringel eignen sich – gewissermaßen zum Dessert – auch ein kleines **Schokoladentäfelchen** und ein süßer **Kekskringel** oder ein **bunter Kringel aus Fruchtgummi**.

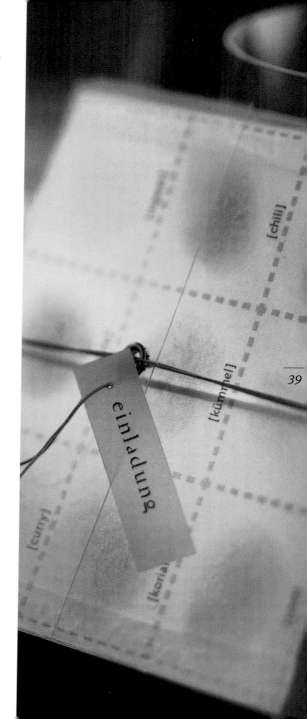

für Gäste **Gewürzte Einladung**

Material für 1 Einladung:
1 Stück Fotokarton, 10 x 12 cm
Stift
gemahlene Gewürze
(z. B. Zimt-, Curry-, Paprika-, Nelken-,
Ingwer-, Koriander-, Kümmel-, Chilipulver)
1 Stück OHP-Folie, 12,5 x 25 cm
Klebstoff
30 cm dünne Kordel
1 Stück Papier, 2 x 8 cm

Zeitaufwand: ca. 15 Min.

1 Den Fotokarton mit den Gewürznamen
beschriften (dabei genügend Platz zwischen
den Namen lassen).

2 Jeweils einige Prisen eines Gewürzes mit
der Fingerspitze auf der entsprechenden
Stelle des Papiers verreiben.

3 Die Folie auf der Längsseite nach 5 cm
und nach 15 cm markieren und nach hinten
falten.

4 Den Fotokarton in den so entstandenen
Umschlag stecken. Die Folie auf der Rückseite zusammenkleben.

5 Den Umschlag mit der Kordel zusammenbinden.

6 Das Papier mit dem Einladungstext beschriften und an der Kordel befestigen.

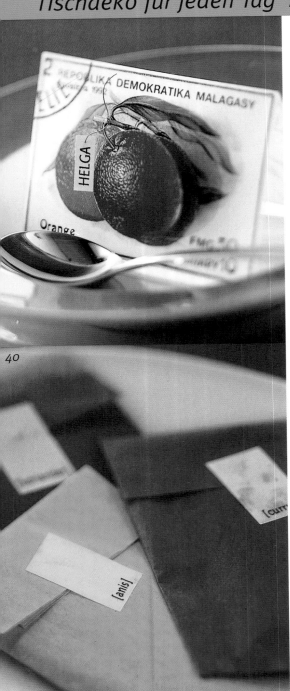

40

raffiniert **Fruchtige Tischkarte**

(im Bild links oben)

Material für 1 Karte:
**3 gleiche Postkarten (Querformat) mit Früchte-
    motiv | Tesafilm | 10 cm Blumendraht
1 Stück Papier, 1 x 4 cm | Stift**

Zeitaufwand: ca. 15 Min.

1 2 Postkarten mit den Motiven nach außen
aufeinander legen und an einer Längsseite mit
Tesafilm so zusammenkleben, dass man die Kar-
ten wie ein Dach aufstellen kann. Aus der dritten
Postkarte eine Frucht ausschneiden und mit
Tesafilm an dem Blumendraht befestigen.

2 Den Blumendraht so durch eine der beiden
zusammengeklebten Postkarten stechen, dass
die ausgeschnittene Frucht direkt vor der entsprechenden Stelle auf der Postkarte schwebt.
Den Blumendraht auf der Rückseite der Postkarte mit Tesafilm befestigen.

3 Das Stück Papier mit dem entsprechenden
Namen beschriften und als Fähnchen an den
Blumendraht hängen.

für Gäste **Gewürztüten**

(im Bild links unten)

Material für 1 Tüte:
**2 Stücke Seidenpapier, 12 x 24 cm und 8 x 18 cm
Nähnadel + Faden
einige Prisen gemahlenes Gewürz (z. B. Curry-
    pulver, Cayennepfeffer, Kümmelpulver)
1 Stück weißes Papier, 2 x 3 cm
Stift | Klebstoff**

Zeitaufwand: ca. 10 Min.

1 Das größere Stück Seidenpapier längs 8 cm
nach oben, dann von oben 8 cm nach unten

falten, so dass eine rechteckige Tüte entsteht. An einer offenen Seite mit groben Stichen zusammennähen.

2 Auf das kleinere Stück Seidenpapier einige Prisen des Gewürzes geben und zusammenrollen. An den beiden Enden mehrmals umfalten, damit das Gewürz nicht herausrieseln kann. Dieses Gewürzbriefchen in die Tüte stecken.

3 Den kleinen Zettel mit dem entsprechenden Namen beschriften, auf der Rückseite mit Klebstoff bestreichen und die Tüte damit zukleben.

macht was her **Löffelsnacks**

(im Bild rechts)

Material für 4 Snacks:
4 schöne Porzellanlöffel
   (z. B. aus dem Asienladen)
Zum Belegen:
4 kleine Leckerbissen (siehe Tipp)

Zeitaufwand: ca. 20 Min.

1 Die Löffel mit den Leckerbissen belegen und schön auf dem Tisch anrichten. Jeder Gast nimmt sich einen Löffel als »Entrée«.

Clever dekoriert

Mit was Sie die Löffel belegen, hängt natürlich ganz davon ab, was Sie anschließend zum Mittagessen servieren. Wenn es eher in die mediterrane Richtung geht, eignen sich **eingelegte Gemüse** wie Champignons und Oliven oder **Chili-Garnelen**. Auch eine **Tunfischcreme** passt gut, zu der Sie dann getoastetes Weißbrot reichen können. Ebenfalls klein und fein: kleine **Honigmelonenwürfel**, auf die Sie eingerollte, hauchdünne Scheiben **Parmaschinken** stecken. Zum asiatischen Mittagstisch dürfen es dann gerne **Sushi** sein.

raffiniert **Triptychon-Tischkarte**

(Bildmitte)

Material für 1 Tischkarte:
Für die Schachtel:
2 Stücke Fotokarton,
  10 x 12 cm und 5 x 7 cm
Schere | Klebstoff
2 Stücke Fotokarton,
  je 7,5 x 7 cm
1 Stück Transparentpapier,
  4 x 4 cm
Für die Dekoration:
**Fundstücke wie kleine beschriftete Papier-
schnipsel, kleine Muscheln, ausgeschnittene Papierfiguren usw.**

Zeitaufwand: ca. 20 Min.

1 Aus dem 10 x 12 cm großen Stück Fotokarton eine Schachtel vom Format 5 x 7 x 2,5 cm basteln: Mit jeweils 2,5 cm Abstand vom Rand mittig ein Rechteck von 5 x 7 cm aufzeichnen und einritzen. Vom Schmalseitenrand jeweils bis zur Ecke des Rechtecks einschneiden. Die vier Seitenwände der Schachtel an der geritzten Linie hochklappen. Die überstehen-den Enden einritzen, nach innen klappen und festkleben.

2 Aus dem 5 x 7 cm großen Stück Fotokarton mittig ein 3 x 5 cm großes Fenster ausschneiden.

3 Die beiden 7,5 x 5 cm großen Kartonstücke an einer Längsseite jeweils nach 2,5 cm einritzen und nach hinten klappen. Diese beiden Teile als »Triptychon-Flügel« rechts und links an die Schachtel kleben.

4 Die Schachtel innen mit Papierschnipseln, Muscheln, Papierfiguren usw. bekleben, so dass eine Art Kulisse entsteht. Das Karton-Fenster (Punkt 2) auf die Schachtel kleben.

5 Das Transparentpapier mit dem Menü be-schriften und an einen der Seitenflügel kleben.

6 Den zweiten Seitenflügel nach Belieben mit Fundstücken bekleben.

ganz einfach **Print-Tischdecke**

(im Bild links unten)

Material für 1 Tischdecke:
**1 schönes Muster, max. 30 x 40 cm (z. B. ein
typographisches Zeichen, eine Zeichnung,
ein geschriebener Text o. Ä.)**
1 Stofftischdecke

Zeitaufwand: ca. 2 Min.

1 Das Muster im Copyshop auf die Tischdecke drucken lassen.

preiswert **Blühende Flaschen**

(im Bild links oben)

Material für 3 Flaschen:
3 schöne leere Flaschen
3 Stücke Papier, je ca. 7 x 15 cm
Stift | einige frische Blüten

Zeitaufwand: ca. 15 Min.

1 Die leeren Flaschen so lange in lauwarmes Wasser legen, bis sich die Etiketten ablösen lassen. Die Flaschen gut abtrocknen.

2 Die Papierstücke jeweils mit einem netten Text oder mit der Menükarte beschriften. Diese im Copyshop auf transparente Klebefolie kopieren lassen, ausschneiden und als Etikett auf die Flaschen kleben.

3 Die Flaschen mit etwas Wasser füllen und die Blüten hineinstecken.

für Gäste **Texttörtchen**

Material für 1 Schachtel:
2 Stücke klare OHP-Folie, 5 x 25 cm und 5 x 21 cm
Klebstoff | Ösenzange | 1 Silberöse
wasserfester Stift
Zum Füllen:
1 kleines Gebäckstück

Zeitaufwand: ca. 15 Min.

1 Den längeren Folienstreifen (5 x 25 cm)
jeweils nach 5 cm markieren und falten.

2 Den kürzeren Streifen (5 x 21 cm) ebenfalls
jeweils nach 5 cm markieren. An den Markierungen nach innen falten. Die 1 cm überstehende
Lasche festkleben, so dass ein an zwei Seiten
offener Würfel entsteht.

3 Den Würfel mittig auf den anderen Folienstreifen setzen (Öffnung nach oben). An den
Seiten hochklappen und den Würfel schließen.

4 Die überstehenden 5 x 5 cm großen Quadrate jeweils nach 2,5 cm markieren und
nach außen knicken. Die Schachtel mit dem
Gebäckstück füllen.

5 Die beiden hochstehenden Laschen zusammendrücken, mittig mit der Ösenzange
lochen und die Öse eindrücken. Die Schachtel beschriften.

Clever dekoriert & arrangiert

Mit den Namen der Gäste beschriftet, dienen die
Texttörtchen als **Tischkarten**, die Sie auf die
Teller stellen. Sie können die Schachteln aber
auch mit einzelnen Zutaten des Gerichts, das Sie
servieren, füllen und als **Tischkulisse** aufstellen.
Einfacher geht's natürlich mit den **Food-Schüs-
seln** von Seite 46. Gut machen sich dazu die
»Two in one«-Servietten von Seite 46, die Sie
ebenfalls mit passenden Zutaten schmücken.

44

für Gäste **Naschtüte**

(im Bild rechts oben)

Material für 1 Tüte:
1 Stück Transparentpapier, 15 x 28 cm
Schere | Klebstoff
1 Stück Yoshpapier, 3 x 6 cm
Nähnadel + Faden
Zum Füllen:
getrocknete rote Melonenkerne (Asienladen)

Zeitaufwand: ca. 15 Min.

1 Nach der Anleitung auf Seite 12 aus dem Transparentpapier eine Tüte von 10 x 12 x 3 cm basteln. Die Seiten nach innen falten.

2 Die Tüte mit den Melonenkernen füllen. Oben zusammendrücken und das Yoshpapier als Verschluss mittig darauf kleben. Zusätzlich mit einigen groben Stichen zusammennähen.

ganz einfach **Eingenähte Ess-Stäbchen**

(im Bild rechts unten)

Material für 1 Paar:
1 Stück Fotokarton, 15 x 19 cm
2 Ess-Stäbchen
2 Stücke Yoshpapier, je 3 x 3 cm
Klebstoff | Nähnadel + Faden

Zeitaufwand: ca. 10 Min.

1 Den Fotokarton von der Schmalseite jeweils 2,5 cm breit ziehharmonikaförmig falten. Die Stäbchen in die beiden so entstandenen Faltentäler legen. Die beiden Stücke Yoshpapier jeweils mittig auf die Außenseite kleben.

2 Die Ziehharmonikafalten oben zusammennähen, dabei die Nadel durch alle Kartonschichten stechen.

45

macht was her »Two in one«-Serviette

(im Bild links oben)

Material für 1 Serviette:
1 Stück Transparentpapier, 5 x 16 cm
wasserfester Stift
1 Stück getrockneter Seetang, 8 x 18 cm
  (Asienladen)
Ösenzange | 1 Silberöse
1 gezuckerte Lotuswurzel (Asienladen)
20 cm Nylonfaden
1 Stoffserviette, 50 x 50 cm

Zeitaufwand: ca. 10 Min.

1 Das Transparentpapier mit dem Menü beschriften.

2 Das Transparentpapier oben bündig, seitlich mittig auf den Seetang legen, oben mit der Ösenzange lochen und die Öse eindrücken.

3 Die Lotuswurzel mit dem Nylonfaden an die Öse binden.

4 Den Seetang auf die gefaltete Serviette legen.

einfach und schön Food-Schüsseln

(im Bild links unten)

Material für 3 Schüsseln:
3 schöne Porzellan- oder Glasschüsseln
Zum Füllen:
z. B. gezuckerte Lotuswurzeln, Sesamcracker,
  Brotringe (alles aus dem Asienladen)

Zeitaufwand: ca. 2 Min.

1 Eine Porzellan- oder Glasschüssel mit gezuckerten Lotuswurzeln, die zweite mit Sesamcrackern und die dritte mit Brotringen füllen und schön auf dem Tisch arrangieren.

macht was her **Asia-Menükarte**

Material für 1 Doppelschachtel:
2 Stücke schwarzer Fotokarton, je 11 x 11 cm
Schere | Klebstoff
1 Stück Yoshpapier, 2 x 4,5 cm
1 Stück Yoshpapier, 7 x 7 cm
1 Stück getrockneter Seetang, 5 x 5 cm
  (Asienladen)
1 Sesamcracker (Asienladen)
1 getrockneter Pilz (Asienladen)
1 Stück Transparentpapier, 4 x 4 cm
wasserfester schwarzer Stift

Zeitaufwand: ca. 20 Min.

1 Aus den beiden Kartonstücken nach der Anleitung auf Seite 12 zwei Schachteln von 7 x 7 x 2 cm basteln.

2 Die beiden Schachteln Kante an Kante nebeneinander stellen und mit dem rechteckigen Stück Yoshpapier (2 x 4,5 cm) zusammenkleben. (Sie können die Schachteln auch zusätzlich an der Unterseite verkleben.)

3 In eine der beiden Schachteln das quadratische Stück Yoshpapier auf den Boden kleben. Erst den Seetang, dann den Sesamcracker hineinlegen, darauf den Pilz.

4 Auf das quadratische Stück Transparentpapier die Menükarte schreiben. Die Menükarte in die noch leere Schachtel legen.

Clever variiert

Die Doppelschachtel lässt sich natürlich auch als **Tischkarte** zu einem asiatischen Essen verwenden: Statt der Menükarte einen kleinen Zettel mit dem entsprechenden Namen beschriften und in die zweite Schachtel legen (siehe Foto). Statt Yoshpapier passt auch Goldpapier gut zu asiatischen Deko-Elementen. Sie bekommen es im Bastelladen.

47

Schön festlich – Tischdeko für Festtage

Deko für Feste – Geschenke für Gäste

**Ob Ostern oder Weihnachten, ob das romantische Dinner for Two oder der quirlige Kindergeburts-
tag – wenn es etwas zu feiern gibt, nimmt man sich gerne die Zeit, um das passende Ambiente zu
schaffen und an der Tischdekoration zu feilen. Über die sich Ihre großen und kleinen Gäste ganz
sicher um so mehr freuen werden, wenn sie das eine oder andere Deko-Element mit nach Hause
nehmen dürfen. Und da Geschenke bekanntlich die Freundschaft erhalten, auf den nächsten Seiten
einige Ideen für »Give-aways«, die erst den Tisch schmücken und dann Ihre Gäste beglücken.**

Schnappschuss-Tischkarte

So bleibt der Abend für Ihre Gäste bestimmt
unvergesslich: Stellen Sie auf jeden Teller einen
kleinen Kartenhalter. Sobald Ihre Gäste eingetrof-
fen sind, schießen Sie von jedem ein Polaroidfoto
und stecken es in den jeweiligen Kartenhalter.

Magnetherz »I love You«

Das Magnetherz ist perfekt als sprechende Gabe
am Valentinstag, mit anderem Motiv aber auch
für alle anderen Anlässe geeignet. Für 1 Magnetherz mit Buntstiften ein Herz auf Zeichenpapier
(10 x 15 cm) malen. Diese Zeichnung im Copyshop
um 50 % verkleinert farbkopieren lassen. Origi-
nal und Kopie laminieren lassen (siehe Seite 12)
und ausschneiden. In die Mitte des großen Herzens ein Loch stechen und 10 cm farbigen Blumendraht durchziehen. Dessen Ende auf der
Herz-Rückseite verkleben. Dort 1 kleinen Magneten (Bastelladen) aufkleben. Den Blumendraht
auf der Herz-Vorderseite spiralförmig eindrehen.
In die Mitte des kleinen Herzens ein Loch stechen, den Draht durchziehen und verknoten.

Knuspertüte

Gastgeschenke zum Verspeisen kommen immer
gut an und sind schnell gemacht, z. B. an Weihnachten: Einige Plätzchen mit etwas Lametta in
eine kleine Cellophantüte füllen und mit bunten
Geschenkbändern zubinden. Die Bänder mit
einer kleinen Christbaumkugel behängen und zur
Schleife binden. Für eine Ostertüte die Tüte mit
Schokoeiern füllen und an die Geschenkbänder
z. B. ein bemaltes ausgeblasenes Ei binden.

Glückstüte

Vor allem an Silvester darf die Glückstüte nicht
fehlen. Doch mit entsprechender Füllung wird
daraus ebenso fix eine Geburtstagtüte, eine
Ostertüte und und und. Als Material kommt
so ziemlich alles in Frage, was sich falten und
kleben lässt, z. B. Tapetenreste: Für 1 Tüte von
10 x 12 x 3 cm nach der Anleitung auf Seite 12
ein Stück bunte Tapete (15 x 28 cm) falten, verkleben und gut trocknen lassen. Die Tüte mit
kleinen Glücksbringern (z. B. asiatische Glücks-
kekse usw.) füllen, oben zusammendrücken und
1 Stück Silberpapier (3 x 6 cm) oben mittig als
Verschluss darauf kleben. Das Silberpapier mit
der Ösenzange mittig lochen und 1 Silberöse
eindrücken. 15 cm Geschenkband durch die Öse
ziehen und verknoten. Wenn Ihnen das Tüten-
basteln zu aufwändig ist, können Sie natürlich
auch fertig gekaufte Cellophan- oder Geschenk-
tüten nehmen.

Lesezeichen-Tischkarte

Diese Tischkarte ist nicht nur schön, sondern
auch enorm praktisch, denn sie ist zugleich ein
patentes Lesezeichen, das nicht aus dem Buch
fällt! Für 1 Tischkarte 1 Stück farbigen Fotokarton
(8 x 30 cm) einmal zur Hälfte falten, die offene
Seite zeigt nach unten. Die Vorderseite mit einem
Poesiebild bekleben und den entsprechenden
Namen darauf schreiben. Den Karton aufklappen
und auf die Innenseite nach Belieben das Menü
schreiben oder ein weiteres Poesiebild kleben.
Als Magnetverschluss auf die Innenseiten unten
mittig jeweils 1 kleinen Magneten kleben.

Gefederte Tüte

(Bildmitte)

Material für 1 Tüte:
- *1 Stück Transparentpapier, 19 x 32 cm*
- *Schere*
- *Klebstoff*
- *2 Stücke Silberdraht (1 mm Ø), jeweils 25 cm*
- *1 Stück weißes Seidenpapier, 10,5 x 30 cm*
- *bunte Geschenkbänder*
- *1 weiße Feder*

Zeitaufwand: ca. 10 Min.

1 Das Transparentpapier längs nach 4 cm, nach 15 cm, nach 19 cm und nach 30 cm markieren, quer nach 4 cm. Nach der Anleitung auf Seite 12 eine Tüte von 11 x 15 x 4 cm basteln. Die Seiten etwas nach innen falten.

2 Die Silberdrähte zu Halbkreisen biegen und als Henkel in die Tüte kleben.

3 Das Seidenpapier in die Tüte drapieren.

4 Den Henkel mit den Bändern schmücken und die Feder auf die Tüte kleben.

Clever gefüllt

Wenn Sie noch eine Idee brauchen, womit Sie die Ostertüte füllen können: Wie wäre es einmal mit leckeren **Brötchenhasen**? Für 18 Stück 250 g Mehl mit 1/2 Päckchen Trockenhefe in eine Schüssel geben und vermischen. 1/8 l warme Milch, 40 g Butter, 1 Ei und 1 TL Salz dazugeben. Alles mit den Knethaken des Handrührgeräts zu einem glatten Teig verrühren und zugedeckt an einem warmen Ort 15 Min. gehen lassen. Ein Backblech mit Backpapier belegen. Den Teig kräftig durchkneten und in 18 Portionen teilen.

Jede Teigportion zu einem runden Brötchen mit zwei langen Ohren formen. Die Brötchenhasen auf das Backblech legen. Nochmals 15 Min. gehen lassen. Den Backofen auf 200° vorheizen. 1 Eigelb verquirlen. Die Hasen damit bestreichen und mit Rosinen und Mohnsamen dekorieren. Die Brötchenhasen im Backofen (Mitte, Umluft 180°) 25 Min. backen.

Gepunktete Osterdecke

(im Bild hinten)

Material für 1 Tischdecke:
- *je 1 Stück hellgrüner, dunkelgrüner, türkisfarbener und roter Filz, jeweils 15 x 15 cm*
- *Stanze (3 cm Ø)*
- *1 weiße Tischdecke*
- *flache grüne und türkisfarbene Perlen oder Knöpfe (1 und 1,5 cm Ø)*
- *kleine Glasperlen (Indianerperlen) in Grüntönen*
- *Nähnadel + Faden*

Zeitaufwand: ca. 30 Min.

1 Aus den Filzstücken mit der Stanze 3 cm große Kreise ausstanzen. (Die Anzahl ist beliebig – Sie können viele Filzkreise über die ganze Tischdecke verteilen oder einige wenige konzentriert an eine Stelle legen.)

2 Pro Filzkreis z. B. eine 1,5 cm große, eine 1 cm große Perle und eine kleine Glasperle aufeinander »türmen«.

3 Diesen Perlenturm mit Nadel und Faden so an je einen Filzkreis nähen, dass der Perlenturm senkrecht steht.

4 Die Filzkreise auf der Tischdecke verteilen. Entweder lose auflegen oder mit ein paar Stichen an die Tischdecke nähen.

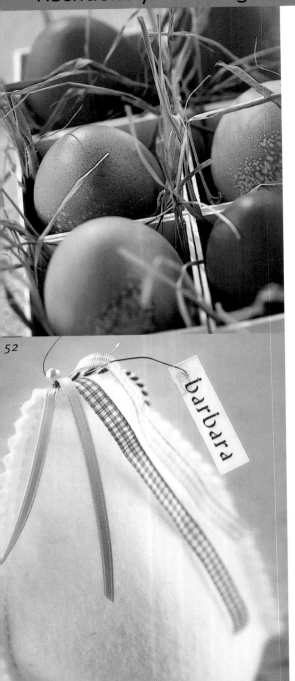

ganz einfach **Eierbecher**

(im Bild links oben)

Material für 1 Eierbecher:
**1 Stück weißer Karton, 12 x 12 cm | Schere
Klebstoff | etwas Ostergras | 1 bunt gefärbtes Ei**

Zeitaufwand: ca. 10 Min.

1 Aus dem weißen Karton eine Schachtel von
5 x 5 x 3,5 cm basteln (Anleitung siehe Seite 12).

2 Das Ostergras in den Becher füllen und das
Ei hineinstellen. Mehrere Eierbecher können
Sie auch (wie auf dem Foto) aneinander stellen.

für Gäste **Eierwärmer**

(im Bild links unten)

Material für 1 Eierwärmer:
**2 Stücke weißer Filz, jeweils 11 x 11 cm
Zickzack-Schere (ersatzweise Haushaltsschere)
Nähnadel + Faden
5 bunte Geschenkbänder, je 10 cm lang
10 cm grüner Blumendraht
1 Stück Papier, 1,5 x 4 cm | Stift | 1 Perle**

Zeitaufwand: ca. 15 Min.

1 Die beiden Filzstücke aufeinander legen.
Mit der Zickzack-Schere zu einem Dreieck mit
nach außen abgerundeten Kanten schneiden.
Die beiden Filzstücke seitlich zusammennähen,
an der Spitze eine kleine Öffnung lassen.

2 Die Geschenkbänder an einem Ende in die
kleine Öffnung stecken und vernähen.

3 Den Blumendraht zurechtbiegen und zwischen die Bänder stecken. Das Papier mit dem
Namen beschriften und an ein Ende des Blu-
mendrahtes binden. Am anderen Drahtende
die Perle auffädeln und festknoten.

geht schnell **Schokohase pur**

(im Bild rechts oben)

Material für 1 Schokohasen:
**1 Osterhase aus Schokolade
bunte Geschenkbänder | einige Glöckchen
einige Plastikblüten**

Zeitaufwand: ca. 2 Min.

1 Den Schokohasen aus seiner Verpackung
auswickeln.

2 Den Hasen mit Bändern, Glöckchen und
Plastikblüten schmücken.

ganz einfach **Oster-Tischkarte**

(im Bild rechts unten)

Material für 1 Tischkarte:
**1 Stück Fotokarton, 4 x 26 cm | Klebstoff
grüne Plakafarbe | Pinsel
1 Stück grünes Papier, 2 x 26 cm
26 cm grün kariertes Band (1 cm breit)**
Zum Füllen:
**Schokohäschen, Schokoeier o. Ä.
eventuell Namenszettel und Blumendraht**

Zeitaufwand: ca. 10 Min.

1 Den Fotokarton viermal nach 6 cm einritzen,
nach innen falten und an dem verbleibenden
2 cm breiten Streifen zusammenkleben.

2 Die Innenseite mit der grünen Plakafarbe
bemalen und trocknen lassen.

3 Den grünen Papierstreifen außen um die
Schachtel und darauf mittig das karierte
Geschenkband kleben. Die Schachtel auf-
stellen und mit den Ostersüßigkeiten füllen.
Eventuell einen Namenszettel mit Blumen-
draht befestigen.

53

Fenchelsuppe

Feldsalat mit
Walnüssen

Wurzelgemüse
mit Entenbrust

Orangen-
Feigentorte

macht was her **Platzquadrat**

(im Bild links hinten)

Material für 1 Platzquadrat:
1 Stück goldenes Yoshpapier, 7 x 7 cm
Schere
1 Paar Goldpapierflügel
(passend für die Plastikfigur)
1 kleine Plastikfigur
Klebstoff
1 Stück gestreiftes, weißes Transparent-
papier, 15 x 18 cm
wasserfester Stift
1 Stück weißes, handgeschöpftes Papier,
40 x 40 cm

Zeitaufwand: ca. 10 Min.

1 Aus dem Yoshpapier ein Kreuz schneiden.

2 Die Goldpapierflügel an die Plastikfigur
kleben.

3 Das Transparentpapier unten mit dem
Menü beschriften (genügend Platz lassen
für das Yoshpapier-Kreuz!) und oben bündig,
seitlich mittig auf das handgeschöpfte
Papier kleben.

4 Das Yoshpapier-Kreuz oben bündig, seitlich
mittig auf das Transparentpapier kleben.

5 Die Plastikfigur mittig darauf kleben.

Clever dekoriert

Stimmungsvolle Beleuchtung darf an Weihnachten nicht fehlen. Die können Sie beispielsweise
mit **Apfellichtchen** erzeugen: Für 1 Licht von
1 standfesten roten Apfel den holzigen Stiel
durch Herausdrehen entfernen. In den Stiel-
ansatz des Apfels die Metallhülse eines Teelichts mittig hineinbohren. Wieder herausziehen,
das Fruchtfleisch mit einem Kugelausstecher
oder einem Teelöffel herausschaben. In die

Vertiefung 1 Teelicht (ohne Metallhülse) setzen.
Dazwischen nach Belieben noch ein kleines Tan-
nenzweiglein stecken.
Wenn die Apfellichtchen **farblich** zur auf dem
Foto gezeigten Deko passen sollen, können Sie
den Apfel und das Tannenzweiglein noch mit
Gold- oder Silberlack besprühen.
Vorsicht: Die Apfellichtchen nie unbeaufsichtigt
brennen lassen!

ganz einfach **Weihnachts-
schachtel**

(im Bild rechts oben)

Material für 1 Schachtel:
1 Stück Fotokarton, 19 x 19 cm
Schere
Klebstoff
rote Plakafarbe
Pinsel
1 Stück Seidenpapier, 10,5 x 30 cm
40 cm Geschenkband
(wahlweise Kordel)
1 Weihnachtsengelchen
Zum Füllen:
Weihnachtsplätzchen

Zeitaufwand: ca. 15 Min.

1 Aus dem Fotokarton, wie in der Anleitung
auf Seite 12 beschrieben, eine Schachtel von
11 x 11 x 4 cm basteln.

2 Die Schachtel außen mit der roten Plakafarbe bemalen und gut trocknen lassen.

3 Nach dem Trocknen den Seidenpapierstreifen
in die Schachtel legen. Die Schachtel mit Weihnachtsplätzchen füllen und das Seidenpapier
darüber decken.

4 Mit dem Geschenkband oder der Kordel
umwickeln und das Weihnachtsengelchen
daran befestigen.

56

geht schnell **Erleuchteter Weihnachtsmann**

(im Bild links oben)

Material für 1 Weihnachtsmann:
1 Weihnachtsmann aus Schokolade
20 cm Silberdraht
1 kleine Weihnachtsbaumkerze

Zeitaufwand: ca. 3 Min.

1 Den Schokoweihnachtsmann aus der Verpackung wickeln.

2 Den Silberdraht um das untere Ende der Kerze wickeln, den überstehenden restlichen Draht dekorativ verbiegen. Den Silberdraht vorsichtig in den Schokomann stechen.

raffiniert **Winter-Wonderland**

(im Bild links unten)

Material für 1 Tischkarte:
1 Stück Fotokarton, 8 x 12 cm
1 Stück Silberfolie, 8 x 12 cm
1 kleines Plastikreh
2 kleine Pilze aus Pappmaché
2 aus Papier ausgeschnittene Pilze
1 Silberblüte (ca. 3 cm Ø)
Klebstoff / Silberglimmer

Zeitaufwand: ca. 10 Min.

1 Den Fotokarton mit der Silberfolie bekleben. An der Längsseite nach 4 cm leicht einritzen und nach vorne klappen. Die 4 cm große Lasche als Standfuß verwenden.

2 Das Plastikreh, die Pilze und die Silberblüte auf dem Standfuß zur Landschaft arrangieren und festkleben. Die freien Flächen des Standfußes mit etwas Klebstoff bestreichen und mit Glimmer bestreuen.

einfach und schön **Tischkarte**
»Oh Tannenbaum«

(im Bild rechts oben)

Material für 1 Tischkarte:
1 Stück Papier, 0,5 x 2 cm
wasserfester Stift | 10 cm Gummiband
1 kleiner Plastikweihnachtsbaum
1 Weihnachtsbaum-Vögelchen

Zeitaufwand: ca. 2 Min.

1 Das Papierstück mit dem entsprechenden
Namen beschriften, mit dem Gummiband in
den Baum hängen. Das Vögelchen an den Weih-
nachtsbaum klemmen.

zum Aufhängen **Silberlüster**

(im Bild rechts unten)

Material für 1 Lüster:
3 m Silberdraht (1 mm Ø)
5–8 weiße Kerzen (1 cm Ø),
7 cm hoch
5–8 Stücke Alufolie, je 3 x 10 cm
Zum Aufhängen:
1–2 m Kordel | 1 kleiner Haken für die Decke
Zum Schmücken:
1 Weihnachtsbaum-Vögelchen

Zeitaufwand: ca. 15 Min.

1 Den Draht in 5 gleiche Stücke schneiden.
Diese zu einem Strang legen, an einem Ende
verdrillen. Die fünf offenen Drahtenden so auseinander biegen, dass ein Lüster entsteht.

2 Die Kerzen unten mit je 1 Stück Alufolie umwickeln. Die Kerzen am Silberdraht befestigen.

3 Die Kordel mit dem Haken an der Decke befestigen, den Lüster daran aufhängen und das
Vögelchen an den Lüster klemmen.

einfach und schön Tischtapete

(im Bild hinten)

Material für 1 Tischdecke:
1 Papiertischdecke
9–15 Stücke schön gemusterte Tapete,
 je 20 x 20 cm
Klebstoff

Zeitaufwand: ca. 10 Min.

1 Die Papiertischdecke auf dem Tisch ausbreiten. Die Tapetenstücke auf der Papiertischdecke in einem Abstand von ca. 20 cm verteilen und festkleben.

Clever dekoriert

So sorgen Sie für **Gesprächsstoff** unter Ihren Gästen: Kleben Sie die Tapetenstücke so an eine zugängliche Tischdeckenkante, dass man sie zurückklappen kann, darunter Kinderfotos Ihrer Gäste. Dann geht's ans Raten, wer wer wohl ist ...

zum Verschenken Glückskerze

(im Bild rechts oben)

Material für 1 Kerze:
1 Stück Silberpapier, 2 x 12 cm
wasserfester Stift
1 farbige Kerze
Ösenzange / Öse
Zum Bekleben:
kleine Plastikblüten, Plastiktiere,
 Perlen usw.
Klebstoff

Zeitaufwand: ca. 5 Min.

1 Das Silberpapier mit einem Glückwunsch beschriften, um die Kerze wickeln, mit der Ösenzange lochen und die Öse eindrücken.

2 Die Kerze nach Belieben mit den kleinen Plastikblüten und Plastiktieren oder Perlen bekleben.

festlich Silbergirlande

(im Bild vorne)

Material für 1 Girlande:
15 Stücke Silberpapier, 2,5 x 8 cm
1,5 m Nylonfaden (0,25 mm Ø)
Klebstoff

Zeitaufwand: ca. 10 Min.

1 Die Silberpapierchen jeweils zur Hälfte auf 2,5 cm x 4 cm falten.

2 Die Silberpapierchen verteilt über den Nylonfaden legen und die Papierhälften jeweils zusammenkleben.

Clever variiert & dekoriert

Statt der Fähnchen aus Silberpapier können Sie aus kleinen Stücken Alufolie auch **Kügelchen** formen und mit einer Nadel auf den Nylonfaden aufziehen. In jedem Fall macht sich die Silbergirlande natürlich besonders gut, wenn sie **aufgehängt** wird. Sollte das nicht gehen oder Ihnen zu aufwändig sein, legen Sie mehrere Girlanden als **Banderolen** über den mit einer weißen Tischdecke belegten Tisch.
Für noch mehr **Glitzereffekte** auf der Silvestertafel stellen Sie die Teller auf silberne Tischsets: Einfach vorhandene Tischsets (solche aus Kork sind ideal) mit Alufolie einschlagen.
Für eine witzige, silbrig glänzende **Tischkulisse**: Einen silbernen Sektkübel so hoch mit Zucker oder Salz auffüllen, dass ein kleiner Hügel entsteht. Kleine Tannenbäume (aus der Modelleisenbahnabteilung des Spielwarenladens) in den »Schneehügel« stecken und mit etwas Puderzucker überstäuben.

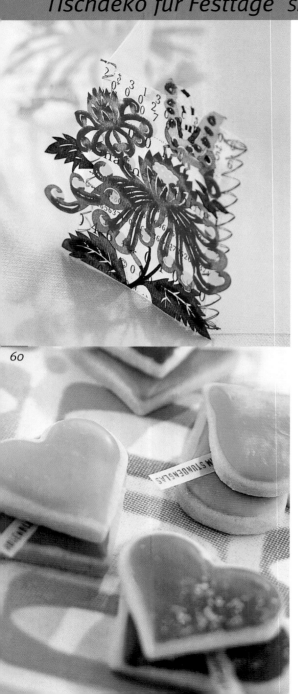

60

für Gäste **Wunschfenster**

(im Bild links oben)

Material für 1 Wunschfenster:
**3 Stücke OHP-Folie, je 5 x 7 cm
Nähnadel + Faden
einige bunte Abbildungen
    (z. B. chinesische Papierschnitte)
Klebstoff / wasserfester Stift**

Zeitaufwand: ca. 10 Min.

1 Die drei Folienstücke jeweils an den Lang-
seiten aneinander legen und mit einigen Stichen zusammennähen, so dass ein dreiteiliges
»Fenster« entsteht.

2 Die Außenseite mit den Papierschnitten oder
anderen Abbildungen bekleben.

3 Die Innenseite mit wasserfestem Stift (z. B.
mit guten Wünschen) beschriften.

einfach und schön **Glückskekse**

(im Bild links unten)

Material für 1 Glückskeks:
**2 bunt glasierte Plätzchen
    (Rezept siehe Seite 105)
1–2 EL Puderzucker / kleine Zuckerperlen
1 Stück Papier, 1 x 5 cm / Stift**

Zeitaufwand: ca. 5 Min.

1 Den Puderzucker mit etwas Wasser zu einem
dicken Guss verrühren. Mit dem Guss auf eines
der beiden Plätzchen einige Zuckerperlen kleben
und gut trocknen lassen.

2 Das Papierstück mit einem Glückwunsch
beschriften. Die Plätzchen jeweils an einem
Punkt mit dem Guss bestreichen, das Zettelchen
dazwischenschieben und zusammenkleben.

geht schnell **Dschinn-Flasche**

(im Bild rechts oben)

Material für 1 Flasche:
**10 frische rote Chilischoten | Nähnadel
50 cm Nylonfaden (0,25 mm dick)
1 Metallbuchstabe | 1 Metallflasche
1 Stück Silberprägefolie, 7 x 17 cm
1 stumpfe Stricknadel | Klebstoff
30 cm Geschenkband**

Zeitaufwand: ca. 10 Min.

1 Die Chilis mit der Nadel auf den Nylonfaden aufziehen, verknoten. Den Metallbuchstaben daranhängen. Beides an die Flasche binden.

2 Die Prägefolie mit Hilfe der stumpfen Stricknadel beschriften und an der Flasche befestigen. Geschenkband um den Flaschenhals wickeln.

raffiniert **Wunschzettelkissen**

(im Bild rechts unten)

Material für 1 Kissen:
**einige Stücke Papier, je 6 x 6 cm | Stift
2 Stücke roter Filz, 7 x 7 cm | Nähnadel + Faden
1 rechteckiger Scheuerschwamm
   (Topfkratzer aus Metall)
1 bunte Stecknadel | 20 cm roter Blumendraht**
Zum Bestecken:
z. B. rotes Schokoherz, Plätzchenherz o. Ä.

Zeitaufwand: ca. 15 Min.

1 Papierstücke mit Neujahrswünschen beschriften. Filzstücke, mit den Wunschzetteln dazwischen, aufeinander legen und zusammennähen.

2 Das Filzkissen auf den Schwamm legen und mit der Stecknadel befestigen. Das Schokoherz oder andere Anhänger mit dem Blumendraht an der Stecknadel befestigen.

ganz einfach **Liebesgirlande**

(im Bild oben)

Material für 1 Girlande:
**1 Stück rotes Krepppapier,
  ca. 32 x 32 cm
Schere
Nähnadel + roter Faden**

Zeitaufwand: ca. 10 Min.

1 Das Krepppapier in 16 ca. 8 x 8 cm große Quadrate schneiden.

2 Die Papierquadrate zu Kugeln zerknüllen und mit Nadel und Faden zu einer Girlande aufziehen.

3 Die Girlande entweder als Banderole über den Tisch legen oder so an der Decke befestigen, dass sie in Augenhöhe hängt.

macht was her **Valentins-Tischkarte**

(Bildmitte)

Material für 1 Tischkarte:
**1 Stück Fotokarton, 9 x 17 cm
1 Stück rotes Papier, 9 x 17 cm
Klebstoff | 1 Poesiebild
Plastik- oder Marzipanblüten
  und -blätter
Glimmer**

Zeitaufwand: ca. 10 Min.

1 Den Fotokarton auf der Längsseite nach 4 cm leicht einritzen und den so markierten Teil als Standfuß nach vorne knicken.

2 Das rote Papier ebenso markieren und falten. Als Hintergrund für das Poesiebild und die Blumen auf den Karton kleben.

3 Das Poesiebild unten ca. 1 cm nach hinten knicken und auf den Standfuß kleben, so dass es etwa 1 cm vor der Rückwand steht.

4 Den Standfuß mit Blüten und Blättern bekleben. Freiflächen auf dem Standfuß dünn mit Klebstoff bestreichen und Glimmer darauf streuen.

Clever dekoriert & arrangiert

Die **Valentins-Tischkarte** schmückt natürlich nicht nur den Valentins-Tisch, sondern ist übers ganze Jahr ein hübscher Liebesgruß. Der auch einfach zur **Tischkulisse** umfunktioniert werden kann – auf einem kleinen Tisch besonders effektvoll. Als Tischkarte dient dann verführerisches **Fruchtkonfekt** – im Wonnemonat Mai z. B. **Erdbeerkonfekt**: Für 1 Stück 1 große Erdbeere waschen und trockentupfen, den Kelch nicht entfernen. Etwas dunkle Kuvertüre im Wasserbad schmelzen, die Erdbeere zur Hälfte hineintauchen. Auf einem Kuchengitter gut trocknen lassen, dann in eine kleine, weiße Papiermanschette setzen. 1 Streifen Transparentpapier mit dem entsprechenden Namen beschriften, mit einer Stecknadel an die Erdbeere stecken.
So ist für die **romantische Beleuchtung** gesorgt: Eine transparente Glasvase mit Zucker auffüllen und viele dünne, rote Kerzen hineinstecken. **Oder** die Vase mit Wasser füllen und einige rote, herzförmige Schwimmkerzen hineingeben.
Und damit das Dinner for Two prickelnd startet, gibt's als **Aperitif** eine liebesrote **Strawberry Margarita**! Für 2 Drinks den Rand von zwei Cocktailschalen (je 12 cl) jeweils in einem Zitronenviertel drehen, dann in einen mit Zucker gefüllten Teller tupfen. Den überschüssigen Zucker am Glas durch leichtes Klopfen entfernen. 8 cl weißen Tequila, 4 cl Zitronensaft, 4 cl Erdbeersirup und 6–8 frische, geputzte Erdbeeren mit 6–8 Eiswürfeln in den elektrischen Mixer geben. Alles durchmixen, bis die Eiswürfel ganz zerkleinert sind. Die Mischung in die vorbereiteten Cocktailschalen gießen.

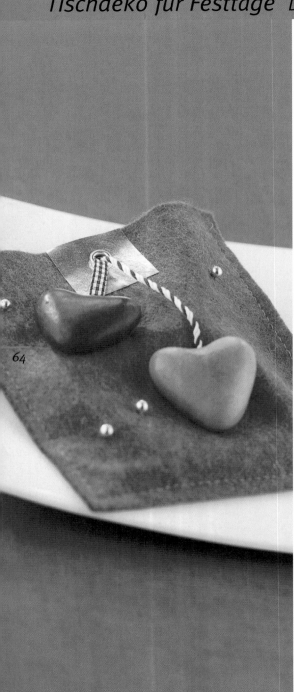

64

ganz einfach **Liebestäschchen**

Material für 1 Tasche:
2 Stücke pinkfarbener Filz, je 12 x 17 cm
Nähnadel + pinkfarbener Faden
1 Stück Silberpapier 2,5 x 2,5 cm
Klebstoff
Ösenzange / 1 Silberöse
2 Geschenkbänder, je 20 cm lang
2 Zuckerherzen
10 kleine Silberperlen

Zeitaufwand: ca. 20 Min.

1 Die beiden Filzstücke aufeinander legen und an drei Seiten zu einer hochrechteckigen Tasche zusammennähen. Das Silberpapier oben mittig auf die Tasche kleben.

2 Die Tasche nach Belieben füllen (siehe Tipp), oben mittig mit der Ösenzange lochen und die Öse eindrücken. Die Geschenkbänder durchziehen.

3 Die Zuckerherzen an die Geschenkbänder knoten oder kleben. Die Silberperlen schön verteilt auf die Tasche kleben.

Clever arrangiert

Das Täschchen ist perfekt, wenn Sie Ihre/ Ihren Liebste/n mit einem kleinen **Geschenk** überraschen möchten (z. B. Theater- oder Konzertkarten, ein selbst geschriebenes Liebesgedicht usw.). Legen Sie das gefüllte Täschchen dann einfach auf den Teller, und halten Sie die übrige **Tischdeko** etwas **dezenter**, damit Ihre Liebesgabe nicht untergeht: Verwenden Sie z. B. **weißes Geschirr** und eine zart **rosafarbene Tischdecke**, und verteilen Sie einige **Glitzerspiegelchen** (Anleitung Seite 65) auf dem Tisch, in deren Mitte Sie jeweils ein Teelicht setzen. Dazu passen die **Glitzerservietten** von Seite 20.

macht was her Glitzer- spiegelchen

(im Bild rechts oben)

Material für 1 Spiegelchen:
1 runder Spiegel (8 cm Ø)
Klebstoff
ca. 20 rote und pinkfarbene Perlen in
unterschiedlicher Größe
ca. 20 pinkfarbene Blüten aus Silberfolie

Zeitaufwand: ca. 10 Min.

1 Den Rand des Spiegelchens mit Klebstoff bestreichen. Die Perlen und Blüten, dekorativ verteilt, vorsichtig in den Klebstoff drücken. Gut trocknen lassen.

Clever dekoriert

Wer mag, serviert auf dem Spiegel einen süßen Leckerbissen, z. B. **Lokum** – eine orientalische Süßspeise (Rezept Seite 89).

geht schnell Loveletter- Tischdecke

(im Bild rechts unten)

Material für 1 Tischdecke:
10 Stücke Papier, je 5 x 5 cm
Stift / 1 Papiertischdecke
Klebstoff / Tesafilm
10 Stücke Transparentpapier, je 6 x 6 cm

Zeitaufwand: ca. 10 Min.

1 Die Papierzettel mit netten Sprüchen, geheimen Botschaften usw. beschriften und schön verteilt auf die Tischdecke kleben.

2 Die Transparentpapierstücke jeweils an einer Seite 1 cm umfalten. Mit Tesafilm so über die beschrifteten Zettel kleben, dass man das Transparentpapier aufklappen kann.

66

Kuchenschachtel

(im Bild rechts unten)

Material für 1 Schachtel:
1 Stück Fotokarton, 50 x 50 cm
Schere | Klebstoff
rote und orangefarbene Plakafarbe
Pinsel
Zum Füllen:
buntes Seidenpapier (nach Belieben)
1 kleiner Kuchen
  (selbst gebacken oder fertig gekauft)

Zeitaufwand: ca. 15 Min.

1 Aus dem Fotokarton, wie in der Anleitung auf Seite 12 beschrieben, eine Schachtel von 30 x 30 x 10 cm basteln.

2 Die Schachtel außen mit roter, innen mit orangefarbener Plakafarbe bemalen. Gut trocknen lassen. Eventuell das Seidenpapier in die Schachtel drapieren und den Kuchen hineinstellen.

Clever gefüllt

Schick für die Schachtel und lecker für die Gäste: ein **Quark-Napfkuchen**. So wird er gemacht: 400 g Quark (20 %) abtropfen lassen. 100 g Rosinen in 4 EL Rum einweichen. 1 unbehandelte Zitrone waschen, die Schale abreiben und den Saft auspressen. Eine Napfkuchenform fetten und mit Semmelbröseln ausstreuen. Den Backofen auf 180° vorheizen. 250 g weiche Butter, 125 g Zucker und 3 Eier schaumig rühren. 2 Prisen Salz, die Zitronenschale und 3 EL Zitronensaft dazugeben. 400 g Mehl, 50 g Speisestärke und 1/2 Päckchen Backpulver unterrühren. Quark und Rosinen gut untermengen. Den Teig in die Form füllen und im Backofen (Mitte, Umluft 160°) 1 Std. backen. Den Kuchen in der Form abkühlen lassen, dann auf eine Kuchenplatte stürzen. 200 g Puderzucker sieben und mit dem restlichen Zitronensaft und evtl. etwas

Wasser zu einem zähflüssigen Guss verrühren. Nach Belieben mit grüner Lebensmittelfarbe färben. Den Kuchen damit überziehen und eventuell wie auf dem Bild mit silbernen Liebesperlen besetzen.

Rotkäppchen-Schachtel

(Bildmitte)

Material für 1 Schachtel:
2 Stücke Karton (1 mm dick),
  6 x 23 cm und 5 x 21,5 cm
rote und rosafarbene Plakafarbe
Pinsel | Klebstoff
1 Plastikfigur
grüner Reis (Asienladen)
Zum Füllen:
Kunstgras
1 kleines Geburtstagsgeschenk

Zeitaufwand: ca. 20 Min.

1 Beide Kartonstücke auf der einen Seite mit roter Plakafarbe bemalen und gut trocknen lassen. Dann auf der anderen Seite mit rosafarbener Plakafarbe bemalen und wieder trocknen lassen.

2 Den größeren Karton auf der Längsseite nach 9 cm und nach 14 cm leicht einritzen. An diesen Markierungen nach innen falten.

3 Den kleineren Karton auf der Längsseite nach 8,5 cm und nach 13 cm markieren und nach innen falten. Wie auf dem Foto zu sehen, stehend auf eine der langen Flächen des anderen Kartons kleben.

4 Auf der vorderen freien Fläche die Plastikfigur und den grünen Reis arrangieren und festkleben. In die Schachtel das Kunstgras und das kleine Geschenk geben.

68

einfach und schön **Steckkärtchen**

(im Bild links oben)

Material für 1 Stück:
**1 Stück Fotokarton, 25 x 25 cm | Schere
bunte Papier- und Textschnipsel | Klebstoff**

Zeitaufwand: ca. 15 Min.

1 Aus dem Fotokarton insgesamt ca. 15 Stücke
in unterschiedlichen Formen und Formaten
(1,5 bis 6 cm) schneiden. Diese Stücke mit den
bunten Papier- und Textschnipseln bekleben.

2 In jedes Kartonstück einen Schlitz von etwa
1,5 cm Tiefe einschneiden. Die Stücke an diesen
Schlitzen zusammenstecken.

Clever dekoriert
Variieren Sie die **Formen** nach Lust und Laune –
es gibt unendlich viele Möglichkeiten.

zum Verschenken **Geburtstags-pokal**

(im Bild links unten)

Material für 1 Pokal:
**1 Bogen Zeichenpapier (DIN A4) | Stift
1 Bogen graue Pappe (DIN A4)
Bunt- und Filzstifte | Papierblüten | Klebstoff**

Zeitaufwand: ca. 15 Min.

1 Auf das Zeichenpapier einen Pokal malen
und ausschneiden. Den Pokal so auf die graue
Pappe kleben, dass unten noch ca. 5 cm von
der Pappe zu sehen sind.

2 Die Konturen erneut ausschneiden, dabei
den unteren 5 cm breiten Papprand stehen
lassen und als Standfuß nach hinten knicken.
Den Pokal mit Papierblüten bekleben und evtl.
mit Schriftbändern schmücken.

macht was her »Happy Birthday«-Tischdecke

(im Bild rechts oben)

Material für 1 Tischdecke:
1 runde Stanze (3 cm Ø)
1 Stück roter Naturfilz, 2 x 2 m
bunte Papier- und Textschnipsel, je 4 x 4 cm
Schere | Klebstoff

Zeitaufwand: ca. 10 Min.

1 Mit der runden Stanze schön verteilt einige Löcher in den Filz stanzen.

2 Aus den Schnipseln ca. 4 cm große Kreise schneiden, diese von hinten auf die ausgestanzten Löcher der Filzdecke kleben.

geht schnell Schmuckteller

(im Bild rechts unten)

Material für 1 Teller:
2 EL Puderzucker | 2 Stücke Esspapier | Schere
Zuckerperlen | je 2 Marzipanrosen und -blätter
1 Teller mit breitem Rand | 1 kleine Kerze
1 Silberblüte

Zeitaufwand: ca. 15 Min.

1 Den Puderzucker mit etwas Wasser zu einer zähflüssigen Glasur verrühren. Aus den Esspapierstücken Zahlen schneiden. Diese mit der Glasur bestreichen und dick mit Zuckerperlen bestreuen. Gut trocknen lassen.

2 Die Marzipanrosen und -blätter sowie die Silberblüte mit Glasur an den Tellerrand kleben.

3 Die kleine Kerze mit einem Tropfen Wachs an die Silberblüte kleben. Die Esspapier-Zahlen auf den Tellerrand legen.

ganz einfach **Tischkulisse**

(im Bild rechts oben)

Material für 1 Kulisse:
1 Stück Zeichenpapier, 50 x 70 cm
Buntstifte
1 Stück graue Pappe, 50 x 70 cm
Klebstoff
Schere

Zeitaufwand: ca. 10 Min.

1 Mit den Buntstiften die gewünschten Figuren auf das Zeichenpapier malen und auf die graue Pappe kleben.

2 Die Figuren mit einer Schere oder einem Cutter ausschneiden.

3 Aus den Pappresten Streifen von 5 x 15 cm Größe ausschneiden. Die Pappestreifen zur Hälfte umklappen.

4 Die Pappestreifen unten als Standfuß auf die Rückseite der Figuren kleben und auf dem Tisch aufstellen.

Clever geplant

Lassen Sie die **Tischkulisse** für den Geburtstagstisch doch von Ihren kleinen Gästen selber gestalten. Die meisten Kinder lieben es zu malen und zu basteln. Halten Sie dafür Papier, Pappe, Stifte, Scheren und Klebstoff bereit – und schon kann's losgehen! Sie werden staunen, was da in Kürze so alles den Tisch bevölkern wird ...
Oder Sie legen statt einer Stofftischdecke eine pastellfarbene Papiertischdecke auf und legen an jeden Platz einige Bunt-, Filz- oder Wachsmalstifte. Dann dürfen die kleinen Gäste die Tischdecke nach Lust und Laune bemalen, und für das Geburtstagskind bleibt eine schöne Erinnerung an den Festtag.

farbenfroh **Bunter Besteckumschlag**

(im Bild rechts unten)

Material für 1 Umschlag:
2 Stücke buntes Transparentpapier,
** 12 x 13 cm und 10 x 19 cm**
Klebstoff
buntes Plastikbesteck

Zeitaufwand: ca. 5 Min.

1 Das kleinere Transparentpapier an drei Seiten jeweils nach 1 cm markieren.

2 An den Markierungen umfalten und so um das größere Stück Transparentpapier kleben, dass eine Tasche entsteht.

3 Das bunte Plastikbesteck in den Umschlag stecken.

Clever variiert

Eine Sitzordnung ist beim Kindergeburtstag zwar nicht unbedingt nötig, aber die Kleineren genießen es meist doch, wenn für sie gedeckt wird wie für die Großen: Beschriften Sie jeden Besteckumschlag mit dem Namen eines Kindes, dann dient er gleichzeitig als **Tischkarte**.
Sie müssen die Transparentumschläge übrigens nicht gleich wegwerfen, wenn das Besteck entnommen ist. Ihre kleinen Gäste können darin z. B. Süßigkeiten oder kleine Geschenke, die sie bei den Spielen gewonnen haben, mit nach Hause nehmen.
Wenn für das Basteln der Besteckumschläge keine Zeit ist, verteilen Sie einige **transparente Plastikbecher** auf dem Tisch und stellen Sie das bunte Plastikbesteck hinein. **Oder** umwickeln Sie jeweils ein Messer, eine Gabel und einen Löffel mit einer Schnur aus Lakritze oder farbigem Fruchtgummi.

ganz einfach **Bonbonketten**

(im Bild links oben)

Material für 1 Kette:
ca. 40 bunte, weiche Bonbons
50 cm dünnes Gummiband | Nähnadel

Zeitaufwand: ca. 5 Min.

1 Die Bonbons farblich schön verteilt auf das Gummiband aufziehen und verknoten.

Clever variiert

Die **Bonbonketten** können, wie auf dem Bild, eine Tischkulisse unterstreichen oder auch die Teller umrahmen. Oder jedes Kind bekommt zum Abschied eine Bonbonkette umgehängt. Über diesen Gruß à la Hawaii freuen sich Ihre kleinen Gäste umso mehr, wenn sich an der Kette eine kleine Spielzeugfigur o. Ä. befindet.

geht schnell **Gartenzwerg im Gras**

(im Bild links unten)

Material für 1 Gartenzwerg:
1 kleiner Gartenzwerg | etwas Ostergras
bunt glasierte Plätzchen (Rezept Seite 105)

Zeitaufwand: ca. 2 Min.

1 Das Gras auf dem Tisch verteilen.

2 Den Gartenzwerg in das Gras stellen und die Plätzchen um den Gartenzwerg ins Gras legen.

Clever variiert

Je nach der Jahreszeit können im Gras natürlich auch **andere Süßigkeiten** liegen. Oder Sie drapieren ein Püppchen auf eine kleine Insel aus **Sand**, dekorieren mit einem **Cocktailschirmchen**, daneben ein gemaltes »**Plakat**« mit den Eissorten, die Sie im Tiefkühlfach bereithaben.

72

zum Verschenken **Bonbon-
Schachtel**

(im Bild rechts oben)

Material für 1 Schachtel:
**1 Stück OHP-Folie, 16 x 16 cm
Schere / Klebstoff
rote und rosafarbene Plakafarbe / Pinsel
1 bunte Kopiervorlage, 17 x 17 cm**
Zum Füllen:
bunte Bonbons

Zeitaufwand: ca. 20 Min.

1 Aus der OHP-Folie nach der Anleitung auf
Seite 12 eine Schachtel von 8 x 8 x 4 cm bas-
teln. Die Schachtel mit roter und rosafarbener
Plakafarbe bemalen und gut trocknen lassen.

2 Für den Deckel die bunte Vorlage im Copyshop auf Folie kopieren lassen und nach
derselben Anleitung – etwas größer als die
Schachtel – falten, schneiden und zusammenkleben. Die Schachtel mit den Bonbons füllen
und mit dem Deckel verschließen.

ganz einfach **Geburtstagsengel**

(im Bild rechts unten)

Material für 1 Tischkarte:
**Bunt- und Filzstifte / weißes Zeichenpapier
Schere / 1 Stück weißes Papier, 4 x 4 cm
1 kleine Plastikblume
Klebstoff / 20 cm Nylonfaden (0,25 mm Ø)**

Zeitaufwand: ca. 15 Min.

1 Mit den Stiften eine ca. 13 cm hohe Figur auf
das Zeichenpapier malen und im Copyshop
laminieren lassen. Die Figur ausschneiden.

2 Das weiße Papier beschriften, Blume darauf
kleben, mit dem Faden an der Figur befestigen.

73

Länger Urlaub –
Tischdeko
international

Wozu in die Ferne schweifen ...

Postkarten, Muscheln und andere Urlaubsmitbringsel sind natürlich perfekt, um den Tisch etwa à la Südamerika in Szene zu setzen. Was aber machen die Daheimgebliebenen? Die stöbern z. B. im Supermarkt und Blumenladen, denn dort gibt es allerlei Brauchbares für eine landestypische Deko – von Limetten über Kräutertöpfe bis hin zu Rosen. Mit etwas Witz und Fantasie aufgepeppt ersetzen sie Originalsouvenirs mit Leichtigkeit.

Tex-Mex-Kaktus

Minikakteen bekommt man in den Gartenabteilungen fast aller Baumärkte günstig zu kaufen. Ganz pur oder noch ein bisschen aufgepeppt sind sie die passende Dekoration für einen feurigen Abend mit Chili con Carne, Tacos & Co.: Pro Kaktus 1 frische rote Chilischote an einem Drahtstab (1,2 mm dick; aus dem Bastelladen) befestigen und diesen vorsichtig in die Erde stecken. Den Topf dazu üppig mit grünem Geschenkband oder grünem Bast umwickeln.

Limettenlichter

Nichts läutet einen südamerikanischen Abend besser ein als eine Caipirinha. Wenn Sie für diesen Cocktail Limetten kaufen, nehmen Sie gleich ein paar mehr mit und machen daraus Teelichter. Für 2 Teelichter 1 Limette halbieren und das Fruchtfleisch mit einem Löffel oder einem Messer so herauslösen, dass die Schale unbeschädigt bleibt. 2 Teelichter aus den Metallhülsen nehmen und in die Limettenhälften drücken. Die Limettenlichter dann in kleine, mit braunem Zucker gefüllte Glasschälchen setzen.

Serviette im Bananenblatt

Bananenblätter dienen in einigen asiatischen Ländern als Tellerersatz, hier werden sie zur fix gemachten Serviettenverpackung: Eine Serviette mit einem Bananenblatt umwickeln, mit einem Zahnstocher zusammenstecken und das grüne Päckchen auf den Teller legen. **Oder** die Serviette falten, auf 1 Bananenblatt legen und mit einer farbigen Kordel zusammenbinden. Zu kaufen gibt es die Bananenblätter übrigens im Asienladen.

Kräuter-Tischkulisse

Wenn es aus der Küche nach »Bella Italia« duftet, ist eine Kräuter-Tischkulisse angesagt. Je nach Tischgröße und -form viele kleine Kräutertöpfe (am besten natürlich Tontöpfe) in einer Reihe auf den Tisch stellen oder inselartig in der Tischmitte aufbauen. Sehr gut passen z. B. Basilikum, Rosmarin, Thymian und Salbei. Dazwischen oder drum herum nach Belieben Tomatenrispen oder ganze Knoblauchknollen legen.

Etikettenschwindel

So werden schöne Flaschenetiketten zu Glasuntersetzern: Leere Weinflaschen in lauwarmes Wasser legen, bis sich die Etiketten ablösen lassen. Die Etiketten auf einem sauberen Küchentuch mit dem Motiv nach unten trocknen lassen und evtl. pressen. Im Copyshop in entsprechender Anzahl farbkopieren und laminieren lassen (siehe Seite 12).

Rosenkranz

Rosen verschönern jeden gedeckten Tisch und setzen mal romantische, mal orientalische Akzente. Wem die Zeit für die Herstellung der gezuckerten Rosen (Seite 89) fehlt, nimmt Blütenblätter pur. Einfach um jeden Teller herum üppig Rosenblätter streuen.

Minze in Pink

Orientalische Stimmung mit einfachsten Mitteln: Mehrere Bechergläser mit Wasser füllen und das Wasser mit einigen Tropfen pink- oder orangefarbener Lebensmittelfarbe färben. In jedes Glas 1 Sträußchen frische Minze stellen.

raffiniert **Verpackte Serviette**

(im Bild vorne)

Material für 1 Serviette:
1 Serviette, 50 x 50 cm
1 Stück Transparentpapier, 20 x 30 cm
Ösenzange / 2 Ösen
1 Stück weiß gestreiftes Transparentpapier,
14 x 20 cm
50 cm rotes Gummiband
Siegellack / Siegel / 2 Ess-Stäbchen

Zeitaufwand: ca. 10 Min.

1 Die Serviette zur Hälfte falten und aufrollen. Das Transparentpapier um die Serviette wickeln. Vorne und hinten mit der Ösenzange lochen und die Ösen eindrücken.

2 Das weiß gestreifte Transparentpapier als Banderole um die eingepackte Serviette wickeln. Gummiband durch die Ösen ziehen.

3 Den Siegellack mittig auf das Transparentpapier träufeln und das Siegel eindrücken. Die Ess-Stäbchen unter die Banderole schieben.

festlich **Transparent-Tischset**

(im Bild hinten)

Material für 1 Tischset:
1 Stück weißes Pergaminpapier, 25 x 25 cm
Schere
2 Stücke Transparentpapier, je 30 x 30 cm
1 Stück Yoshpapier, 6 x 6 cm
Klebstoff / Nähnadel + Faden

Zeitaufwand: ca. 10 Min.

1 Das Pergaminpapier zweimal zur Hälfte, dann zweimal diagonal falten, so dass ein kleines Dreieck entsteht. Aus dem Dreieck kleine Formen ausschneiden und das Pergaminpapier wieder entfalten.

2 Den so entstandenen Scherenschnitt mittig auf 1 Stück Transparentpapier legen.

3 Das Yoshpapier in der Mitte aufkleben.

4 Das zweite Stück Transparentpapier darauf legen und an den Seiten mit dem unteren zusammennähen.

für Gäste **Überraschungs-schachtel**

(im Bild rechts)

Material für 1 Schachtel:
1 Stück weißer Karton, 16 x 16 cm
Schere
Klebstoff
2 Stücke Seidenpapier, je 10 x 25 cm
1 Stück Yoshpapier, 5 x 5 cm
1 Stück Transparentpapier, 3 x 30 cm
Zum Füllen:
z. B. gezuckerte Lotuswurzeln
(Asienladen)

Zeitaufwand: ca. 10 Min.

1 Aus dem weißen Karton nach der Anleitung auf Seite 12 eine Schachtel im Format 10 x 10 x 3 cm basteln.

2 Die beiden Seidenpapierstreifen – einmal längs, einmal quer – in die Schachtel legen. Die Schachtel mit den Lotuswurzeln füllen.

3 Die Füllung mit dem Seidenpapier bedecken, das Yoshpapier mittig darauf kleben.

4 Den Transparentpapierstreifen als Banderole um die Schachtel wickeln und an der Unterseite festkleben.

ganz einfach Transparent-Fahne

(im Bild hinten)

Material für 1 Fahne:
**10 Stücke Transparentpapier, je 13 x 65 cm
Schere
2 Kordeln, je ca. 2 m
Klebstoff**

Zeitaufwand: ca. 20 Min.

1 An jedem Transparentpapierstreifen unten ein Muster, z. B. eine Blüte ausschneiden.

2 Alle Papierstreifen an der oberen Schmalseite 3 cm nach hinten falten. Jeweils 5 Streifen schön verteilt über 1 Kordel hängen und verkleben.

3 Beide Kordeln parallel zueinander über den Tisch spannen.

geht schnell Buddha-Box

(im Bild vorne)

Material für 1 Box:
**1 flache, leere Blechdose
grüner Raffiabast (Bastelladen)
1 Buddha-Kerze (Asienladen)**

Zeitaufwand: ca. 5 Min.

1 Ein hübsche flache Blechdose, z. B. eine Ölsardinen-Dose, gründlich säubern und abtrocknen.

2 Den Bast in die Blechdose drapieren und die Buddha-Kerze darauf setzen.

Clever variiert

Schöne flache Blechdosen eignen sich auch als einfache Teelichtbehälter (siehe Seite 27). Wenn Sie keinen Raffiabast bekommen, können Sie stattdessen auch **Ostergras** verwenden.

einfach und lustig **Platzfigur**

(im Bild rechts oben)

Material für 1 Figur:
**1 Stück Papier, 4 x 4 cm | Stift
ca. 20 cm Faden | 1 Plastikfigur**

Zeitaufwand: ca. 2 Min.

1 Das Papierstück mit dem entsprechenden Namen beschriften.

2 Den Namenszettel mit dem Faden an die Plastikfigur hängen.

gelingt leicht **Bunt gelaunte Ess-Stäbchen**

(im Bild rechts unten)

Material für 1 Tüte:
**1 Stück rotes Transparentpapier, 10 x 20 cm
Klebstoff
1 Stück Yoshpapier, 5 x 10 cm
Ösenzange | 1 Silberöse
2 Ess-Stäbchen
50 cm Geschenkband**

Zeitaufwand: ca. 10 Min.

1 Das Transparentpapier längs 4 cm nach oben, dann von oben 4 cm nach unten falten, so dass eine Tüte entsteht, die Sie an einem Ende zukleben. Dieses Ende mit dem Yoshpapier umwickeln und bekleben.

2 Die Tüte an der beklebten unteren Seite mit der Ösenzange mittig lochen und die Öse eindrücken.

3 Die Ess-Stäbchen in die Tüte stecken. Das Band durch die Öse ziehen, die Tüte mit dem Band verschließen und zwischen den beiden Stäbchen verknoten.

80

ganz einfach **Buddha in Bunt**

(im Bild links oben)

Material für 4 Schachteln:
**4 Stücke Fotokarton, jeweils 13,5 x 13,5 cm
Schere | Klebstoff | Pinsel
orangefarbene und pinkfarbene Plakafarbe**
Zum Füllen:
**etwas Ostergras
1 kleine Buddha-Kerze | getrocknete rote
   Melonenkerne | kleine getrocknete Pilze |
   grüner Reis (alles aus dem Asienladen)**

Zeitaufwand: ca. 30 Min.

1 Aus den Fotokartons vier Schachteln von
4,5 x 4,5 x 4,5 cm basteln (Anleitung Seite 12).
Zwei Schachteln mit orange-, zwei mit pinkfarbener Plakafarbe bemalen, gut trocknen lassen.

2 In eine der pinkfarbenen Schachteln das
Ostergras geben, darauf die Buddha-Kerze setzen. Die anderen Schachteln mit den Melonenkernen, den Pilzen und dem grünen Reis füllen.
Die Schachteln wie auf dem Bild arrangieren.

macht was her **Asia-Lampion**

(im Bild links unten)

Material für 1 Lampion:
**1 Stück buntes Transparentpapier, 13 x 32 cm
1 Kreis aus Fotokarton, 9 cm Ø | Klebstoff
bunte chinesische Papiermotive**

Zeitaufwand: ca. 10 Min.

1 Das Transparentpapier an einer Langseite 1 cm
umfalten. Diese Lasche alle 5 mm einschneiden,
um den Fotokartonkreis legen und festkleben.

2 Wo das Transparentpapier überlappt, zusammenkleben, so dass ein Lampion entsteht. Den
Lampion mit den Papiermotiven bekleben.

einfach und schön **Gestrandete Kerzen**

(im Bild rechts oben)

Material für 1 Schüssel:
Sand (ersatzweise Zucker)
1 Glas- oder Porzellanschüsselchen
einige dünne, bunte Kerzen

Zeitaufwand: ca. 2 Min.

1 Den Sand oder Zucker in die Schüssel füllen und die Kerzen hineinstecken.

raffiniert **Asia-Serviettentüte**

(im Bild rechts unten)

Material für 1 Tüte:
1 bunte Lebensmittelverpackung mit
 asiatischer Aufschrift (z. B. für Fertig-
 Nudelsuppen aus dem Asienladen)
Schere | Nähnadel + Faden
2 Ess-Stäbchen
1 Serviette

Zeitaufwand: ca. 10 Min.

1 Die Verpackung im Copyshop zweimal auf eine Größe von etwa 15 x 15 cm farbkopieren lassen. Die beiden Kopien laminieren lassen. Eine davon an der Oberseite oval eingeschwungen zurechtschneiden.

2 Die beiden laminierten Teile unten bündig aufeinander legen. An den Längsseiten und unten mit Nadel und Faden zusammennähen. Die Stäbchen und die Serviette hineindrapieren.

Clever variiert

Je nach Ihrer Vorlage können Sie natürlich auch eine **hochformatige Serviettentüte** basteln. Dann die Serviette aufrollen und mit den Ess-Stäbchen in die Tüte stecken.

macht was her Mediterrane Marktkiste

(im Bild unten)

Material für 1 Kiste:
1 Stück braunes Packpapier, 70 x 75 cm
Schere
Klebstoff
1 Mandarinenkiste, ca. 20 x 35 cm
Zum Füllen:
mediterrane Leckereien

Zeitaufwand: ca. 1 Std.

1 Aus dem Packpapier 10 Stücke von jeweils 32 x 15 cm schneiden. Daraus zehn Tüten von 12 x 12 x 3 cm basteln. (Anleitung auf Seite 12; die Packpapierstreifen längs jeweils nach 3 cm, nach 15 cm, nach 18 cm und nach 30 cm markieren und falten.)

2 Die Tüten so mit den Leckereien füllen, dass sie gut zu sehen sind, ruhig überstehen oder herausragen.

3 Die gefüllten Tüten möglichst abwechslungsreich und dekorativ in der Holzkiste arrangieren.

Clever variiert & arrangiert

Wenn Sie es sich einfacher machen wollen, schneiden Sie aus dem Packpapier 20 x 30 cm große Stücke, rollen jedes großzügig diagonal zusammen und verkleben es zu einer Spitztüte. Spielen Sie ruhig mit den **Tütenformen und -größen**, denn: je unterschiedlicher, desto interessanter die Optik. Oder benutzen Sie für einige Tüten **gemustertes Packpapier**. Für eine **Mandarinen-** oder andere **Obst-** bzw. **Gemüsekiste** in passender Größe fragen Sie am besten auf dem Wochenmarkt oder im Supermarkt nach. Sie können die Tüten aber natürlich auch einfach lose dekorativ in der Tischmitte arrangieren.

ganz einfach Servietten an der Leine

(im Bild links oben)

Material für 1 Leine:
15 rot und blau karierte Papierservietten
Locher
ca. 2 m Paketkordel
10–12 Holzwäscheklammern
Zum Schmücken:
Postkarten mit mediterranen Motiven, Souvenirs usw.

Zeitaufwand: ca. 15 Min.

1 8 Servietten der Länge nach einmal falten, oben mittig lochen und auf die Kordel ziehen.

2 Die restlichen 7 Servietten mit den Wäscheklammern schön verteilt dazwischenhängen.

3 Die Leine zusätzlich mit Postkarten, Souvenirs usw. schmücken und über den Tisch spannen.

Clever dekoriert

Als zusätzliches Deko-Element und für die passende Beleuchtung des mediterranen Tisches können Sie nach der Anleitung für Limettenlichter (siehe Seite 75) **Zitronen- oder Orangenlichter** herstellen. Für die Orangenlichter brauchen Sie größere Teelichter, die Sie in Drogerien und den entsprechenden Abteilungen großer Warenhäuser bekommen. Es gibt sie auch als Duftkerzen, die gleichzeitig lästige Insekten vertreiben – sehr praktisch für Ihr Sommerfest im Freien. Die Zitronenlichter machen sich gut in Schälchen mit weißem Zucker oder, noch besser, in kleinen **Ton- oder Terrakottatöpfchen**, die es in den Gartenabteilungen von Baumärkten preiswert zu kaufen gibt.

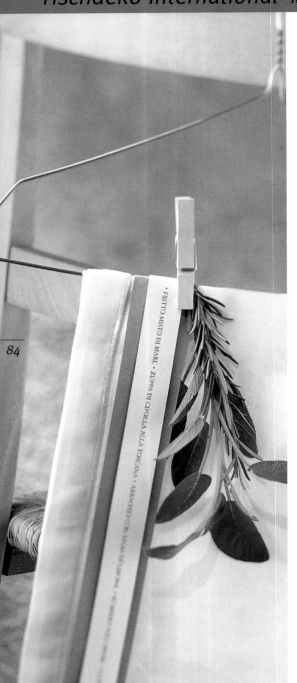

ganz einfach **Serviette am Bügel**

Material für 1 Bügel:
1 Stück weißes Papier, 2 x 50 cm
Stift
1 Serviette, 50 x 50 cm
1 Drahtkleiderbügel
1 Stück braunes Packpapier,
   4 x 50 cm
1 Holzwäscheklammer
Zum Schmücken:
je 1 Zweig frischer Rosmarin und Salbei

Zeitaufwand: ca. 10 Min.

1 Den weißen Papierstreifen mit dem Menü beschriften.

2 Die Serviette einmal falten und längs über den Drahtbügel hängen.

3 Die Menükarte auf den Packpapierstreifen legen und beides über die Serviette hängen.

4 Alles zusammen mit den Kräuterzweigen mit der Wäscheklammer am Bügel festklemmen.

Clever variiert

Die Serviette am Bügel lässt sich auch für die **Tischkarte** nutzen: Entweder den Papierstreifen fortlaufend wiederholend mit dem Namen des Gastes beschriften oder stattdessen ein hübsches **Foto** des Gastes zusammen mit den Kräuterzweigen an die Serviette klemmen.

ganz einfach **Souvenirdecke**

(im Bild rechts oben)

Material für 1 Tischdecke:
**einige mediterrane Souvenirs
(z. B. Briefmarken, Postkarten,
Muscheln usw.)
1 Tischdecke | Nähnadel + Faden**

Zeitaufwand: ca. 2 Min.

1 Die Souvenirs schön verteilt an die Tischdecke nähen oder einfach dekorativ darauf
verteilen.

Clever dekoriert

Um den **mediterranen Eindruck** zu verstärken,
nehmen Sie am besten eine **naturfarbene
Tischdecke** mit grober Struktur. Wenn Sie
eine **Papiertischdecke** verwenden, können
Sie die Souvenirs ganz einfach aufkleben.

preiswert **Platzschachtel**

(im Bild rechts unten)

Material für 1 Schachtel:
**1 Stück Papier, 3 x 10 cm | Stift
1 leere Streichholzschachtel
Klebstoff
1 kleiner frischer Kräuterzweig**
Zum Bekleben:
Postkarten, Fotos, Zeitungsausrisse o. Ä.

Zeitaufwand: ca. 10 Min.

1 Den Papierstreifen mit dem entsprechenden
Namen oder dem Menü beschriften.

2 Die Streichholzschachtel mit Papierschnipseln und Fotomaterial collagenartig bekleben.

3 Den Papierstreifen mit dem Kräuterzweig
in die geöffnete Schachtel drapieren.

86

für Gäste **News-Tüte mit frischen Feigen**

(im Bild links oben)

Material für 1 Tüte:
**1 Seite z. B. einer italienischen Zeitung
Tesafilm
frische Feigen**

Zeitaufwand: ca. 2 Min.

1 Das Zeitungspapier doppelt legen, diagonal zu einer Spitztüte zusammenrollen und mit Tesafilm zusammenkleben. Die Tüte mit den frischen Feigen füllen.

macht was her **Markttafel**

(im Bild links unten)

Material für 1 Tafel:
**1 Holzleiste, 2,5 x 50 cm (ca. 0,3 cm dick)
Schere
Tacker
1 Stück Karton, 10 x 15 cm (1 mm)
schwarzer Wandtafel-Lack (Baumarkt)
Pinsel | Klebstoff
weiße Kreide
frische Kräuter**

Zeitaufwand: ca. 30 Min.

1 Aus der Holzleiste zwei 10 cm lange und zwei 15 cm lange Stücke schneiden. Die Holzleisten-stücke zu einem Rechteck von 10 x 15 cm zu-sammentackern.

2 Den Karton mit dem Wandtafel-Lack bestrei-chen und trocknen lassen.

3 Das Holzleistenrechteck an der Unterseite mit Klebstoff bestreichen und auf den Karton kleben. Die Tafel mit der Kreide beschriften und mit den frischen Kräutern schmücken.

für Gäste **Souvenir-Umschlag**

Material für 1 Umschlag:
1 Stück OHP-Folie, 15 x 20 cm
Klebstoff
Ösenzange | 1 Silberöse
ca. 10 cm dünne Paketschnur
1 Gepäckanhänger aus Pappe
Zum Füllen:
kleine Urlaubsmitbringsel

Zeitaufwand: ca. 10 Min.

1 Die Folie an der Längsseite nach 10 cm markieren und umknicken.

2 Die Folie an den beiden Schmalseiten zusammenkleben.

3 Den transparenten Umschlag mit den Urlaubsmitbringseln füllen.

4 Den Gepäckanhänger mit dem Namen des Gastes beschriften.

5 Den Umschlag mit der Ösenzange oben rechts lochen und die Silberöse eindrücken. Die Paketschnur durch die Öse ziehen und den Gepäckanhänger anbinden.

Clever variiert

Falls Sie keinen **Gepäckanhänger** bekommen, können Sie ihn natürlich aus einem Stück Pappe und einer Silberöse leicht selber basteln.

Gezuckerte Rosen

Material für 5 Rosen:
2 Eiweiße
5 schöne, halb aufgeblühte,
ungespritzte Rosen mit Stiel
250 g Puderzucker
5 Kordeln, je 20 cm lang

Zeitaufwand: ca. 15 Min.
Zeit zum Trocken: 2 Tage

1 Die Eiweiße mit 2 EL Wasser verrühren (nicht schlagen!).

2 Die Rosenblüten und Blätter hineintauchen und sehr vorsichtig durchziehen, so dass sie gut benetzt sind.

3 Die so behandelten Rosen in eine Vase stellen und ca. 10 Min. antrocknen lassen.

4 Den Puderzucker durch ein Sieb dick über die Rosen streuen.

5 Jeweils einen Rosenstiel an ein Stück Kordel binden und die Rosen zwei Tage kopfüber aufhängen und trocknen lassen.

Clever dekoriert & arrangiert

In einer entsprechenden **farblichen Umgebung**, z. B. in Rot, Pink und Orange, reichen die gezuckerten Rosen eigentlich schon aus, um den Tisch in eine orientalische Tafel zu verwandeln. Verwenden Sie als Tischdecke beispielsweise ein Stück **orangefarbene Synthetikgaze** und legen Sie dazu **pinkfarbene Papierservietten** auf, die zusammengerollt und mit einem Stück **Goldkordel** umwickelt sind.
Oder Sie setzen weitere Akzente mit **orientalisch gemusterten Servietten, Tischsets** und **Tischdecken**, die es mittlerweile in vielen Geschäften für Wohnaccessoires zu kaufen gibt. Stattdessen oder zusätzlich können Sie **frische Rosenblüten** und -**blätter** auf dem Tisch verteilen oder in transparente Glasvasen schichten.

Auch sehr hübsch: Viele **bunte Teegläser** mit frischen **Minzesträußchen** aufstellen. Orientalische Teegläser bekommen Sie ebenfalls in vielen Geschäften für Wohnaccessoires; sie eignen sich nicht nur als kleine Vasen, sondern gleichermaßen als exotisch anmutende Behälter für **Teelichter**. Spielen Sie auch einmal mit Farbkontrasten: Stellen Sie zu den gezuckerten Rosen viele **Kerzen in Blau- und Türkistönen** auf, am besten in silbernen Kerzenleuchtern. Etwas für Nase und Gaumen: Füllen Sie kleine Schüsselchen mit **orientalischen Gewürzen** (z. B. Sternanis, Zimtstangen, getrocknete Chilischoten, Kurkuma) und/oder getrockneten **orientalischen Früchten** (z. B. Feigen und Datteln).

Lokum, eine orientalische Süßspeise, ist nicht nur lecker, sondern auch sehr dekorativ (siehe auch Seite 65) – und praktisch, denn damit ist gleichzeitig die Dessertfrage geklärt. Wenn Sie keinen orientalischen Lebensmittelladen in der Nähe haben, machen Sie es einfach selbst. So geht's: Für ca. 70 Stück 1/4 l Wasser und 500 g Zucker in einen Topf geben und kochen lassen, bis sich der Zucker aufgelöst hat. 12 Blatt Gelatine in lauwarmem Wasser einweichen. 6 EL Speisestärke mit etwas kaltem Wasser anrühren, in das Zuckerwasser einrühren und weiterköcheln lassen. Für **rotes Lokum** 3 EL Rosenwasser und 200 ml Kirschsaft, für **gelbes** 2 EL Orangenblütenwasser und 200 ml Orangensaft dazugeben. Den Zuckersirup vom Herd nehmen. Die Gelatine etwas ausdrücken und unterrühren. Eine flache Form (ca. 20 x 30 cm) mit Backpapier auslegen, die Masse hineingießen und vollständig abkühlen lassen. Dann aus der Form nehmen, das Backpapier ablösen. Das Gelee in Würfel schneiden, die Würfel in 100 g gesiebtem Puderzucker wälzen.

macht was her **Fransenserviette**

(im Bild links oben)

Material für 1 Serviette:
20 g getrocknete Lychees (Asienladen)
Nähnadel + Faden | 6 rote Quasten
50 cm orangefarbenes Fransenband
1 Stoffserviette, 50 x 50 cm
4 Silberblütenperlen

Zeitaufwand: ca. 15 Min.

1 Lychees mit der Nadel auf den Faden ziehen.

2 Quasten und Fransenband an einen Serviettenrand nähen. Die Lycheekette auf das Fransenband nähen. Die Silberblütenperlen schön verteilt daran festnähen.

3 Die Serviette so falten, dass der Fransenrand gut zur Geltung kommt.

raffiniert **»1001 Nacht«- Spiegelchen**

(im Bild links unten)

Material für 1 Spiegelchen:
1 rundes Spiegelchen (8 cm Ø)
Klebstoff
1 Schachtel grüne Strass-Steinchen (ca. 10–20 g)
1 Plastikrose | einige grüne Plastikblätter
Silberglimmer | evtl. wasserfester Stift

Zeitaufwand: ca. 15 Min.

1 Die grünen Strass-Steinchen mit Klebstoff auf den Rand des Spiegelchens kleben und vorsichtig andrücken. Gut trocknen lassen.

2 Die Plastikrose und die -blätter auf den geschmückten Rand kleben. Die Rose an einigen Stellen leicht mit Klebstoff bestreichen und mit Glimmer bestreuen.

macht was her **Orient-Set**

(im Bild rechts oben)

Material für 1 Tischset:
**40 cm orangefarbenes Fransenband
1 Stück pinkfarbener Filz, 29 x 40 cm
Nähnadel + Faden
je 5 pinkfarbene und rote Quasten
2 orangefarbene Fransenbänder, je 20 cm lang
2 goldfarbene Glöckchen
1 Stück roter Filz, 36 x 36 cm
1 Stück bordeauxroter Filz, 30 x 34 cm**

Zeitaufwand: ca. 30 Min.

1 Das orangefarbene Fransenband unten an die Längsseite das pinkfarbenen Filzstücks nähen. Das Filzstück umdrehen und die Quasten farblich wechselnd und schön verteilt so annähen, dass sie unter dem Fransenband hervorschauen.

2 Je etwa 10 cm orangefarbenes Fransenband an den oberen Rand des Sets nähen; an die Enden links und rechts je ein Glöckchen binden.

3 Alle Filzstücke oben bündig, seitlich mittig aufeinander legen: erst den roten, dann den bordeauxroten, oben den verzierten pinkfarbenen Filz. Die Filzstücke am oberen Rand vernähen.

einfach und schön **Scharfe Ketten**

(im Bild rechts unten)

Material für 2 Ketten:
**150 g frische rote Chilischoten
150 g getrocknete rote Datteln
Nähnadel
2 Nylonfäden (0,25 mm dick), je ca. 60 cm lang**

Zeitaufwand: ca. 15 Min.

1 Chilis und Datteln mit der Nadel jeweils auf einen Nylonfaden ziehen, die Enden verknoten.

ganz einfach Märchenlampion

(im Bild rechts)

Material für 1 Lampion:
**1 Stück Silberprägefolie, 10 x 30 cm
dicker Karton (als Unterlage)
1 stumpfe Stricknadel
1 Kreis aus Fotokarton, 9 cm Ø
Schere
50 cm Silberdraht (1 mm dick)
Klebstoff**

Zeitaufwand: ca. 10 Min.

1 Die Silberprägefolie auf den Karton legen und mit der Stricknadel ein Muster hineinstichen.

2 Den Fotokartonkreis rundherum jeweils alle 5 mm einschneiden. Die eingeschnittenen Teile hochklappen.

3 Die Silberprägefolie um den Fotokarton legen und daran festkleben. Wo die Folie überlappt, zusammenkleben, so dass ein Lampion entsteht.

4 Für den Henkel 1 cm vom oberen Rand zwei gegenüberliegende Löcher stechen. Den Silberdraht zurechtbiegen, die Enden durch die Löcher stecken und befestigen.

für Gäste Silberschmuck-Tüte

(im Bild links)

Material für 1 Tüte:
**1 Stück Transparentpapier, 15 x 20 cm
Schere | Klebstoff
1 Silberbordüre, 15 x 15 cm**
Zum Füllen:
**kandierte Früchte, Lokum
  (Rezept Seite 89) usw.**

Zeitaufwand: ca. 10 Min.

1 Das Transparentpapier zum Viertelkreis ausschneiden und zu einer Tüte zusammendrehen. Mit Klebstoff zusammenkleben.

2 Die Silberbordüre um den Tütenrand oder um die Spitze wickeln und festkleben.

3 Die Tüte mit kandierten Früchten und/oder Lokum (Rezept Seite 89) füllen.

Clever dekoriert & arrangiert

Wenn Sie die auf diesem und den vorherigen Bildern gezeigte **Farbkombination** aus Rot, Orange und Pink etwas auflockern möchten: Legen Sie auf den Tisch eine weiße Tischdecke, und decken Sie ihn auch mit weißen Tellern ein. Unter jeden Teller kommt ein **Orient-Set** (Anleitung Seite 91) oder ein einfaches Tischset in rot, orange oder pink. Als **Tischkarte** liegt dann auf jedem Teller eine mit 1 Minzesträußchen gefüllte **Silberschmuck-Tüte**: Beschriften Sie jeweils 1 Streifen silbernes Geschenkpapier mit dem entsprechenden Namen und stecken Sie diesen zwischen das Minzesträußchen. Damit die Tüten schön zur Geltung kommen, legen Sie auf jeden Teller eine einmal gefaltete rote oder pinkfarbene **Serviette** und darauf dann je eine Tüte.
Für noch mehr Orientstimmung stellen Sie außerdem 3–4 **Märchenlampions** in einer Reihe auf den Tisch. Dazwischen können Sie zusätzlich 2–3 **»1001 Nacht«-Spiegelchen** (Anleitung Seite 90) setzen oder aufeinander gestapelte **kandierte Früchte** oder **Lokumstücke** (Rezept Seite 89). Oder Sie legen 1–2 **scharfe Ketten** (Anleitung Seite 91) schlangenartig zwischen die Lampions. Auch sehr dekorativ: Legen Sie 2 farblich auf Tischsets und Servietten abgestimmte, lange **Fransenbänder** parallel im Abstand von 12 cm auf den Tisch und stellen die Lampions dazwischen.

Klapper-Tischkarte

(Bildmitte)

Material für 1 Tischkarte:
1 Stück buntes Papier, 2 x 4 cm
Stift
15 cm Ringelband
Klebstoff
1 Blechspielzeugfigur

Zeitaufwand: ca. 2 Min.

1 Das Papierstück mit dem entsprechenden Namen beschriften und an das Ringelband kleben.

2 Das Ringelband an die Spielzeugfigur binden. So auf das Gedeck drapieren, dass der Name gut lesbar ist.

raffiniert **Flimmer-Tischblüten**

(im Bild hinten)

Material für 1 Tischdecke:
1 bunte südamerikanische Papiervorlage
1 Papiertischdecke
Klebstoff
Glimmer

Zeitaufwand: ca. 5 Min.

1 Die südamerikanische Bildvorlage im Copyshop auf DIN A3 vergrößert farbkopieren lassen.

2 Das vergrößerte Motiv ausschneiden und auf die Tischdecke kleben. Das Motiv zusätzlich an einigen Stellen mit Klebstoff bestreichen und darauf etwas Glimmer streuen.

Clever dekoriert

Wenn Sie für **südamerikanische Motive** nicht auf Urlaubsmitbringsel zurückgreifen können, werden Sie vielleicht auf Flohmärkten oder in Buchläden fündig (Reisebildbände sind meist nicht billig, vielleicht ergattern Sie ja mal ein günstiges Angebot!) Außerdem wird **Tex-Mex-Food** immer beliebter, und viele Zutaten bekommen Sie inzwischen in den Lebensmittelabteilungen großer Kaufhäuser. Achten Sie auf bunte Verpackungen oder Flaschenetiketten, die sich als Kopiervorlagen eignen könnten.

Clever variiert & arrangiert

Bunt glasierte Tonteller auf Flimmer-Tischblüten wie auf dem Bild sind für eine »Fiesta mexicana« natürlich perfekt. Einfaches **braunes Tongeschirr** auf einer schlichten **weißen Tischdecke** macht aber ebenso was her – zumal dann farbliche Akzente noch besser zur Geltung kommen. Die können Sie wie hier mit buntem Blechspielzeug setzen oder auch mit einigen **Tex-Mex-Kakteen** und **Limettenlichtern** (Anleitungen Seite 75).
Noch schlichter und klarer: Einige **Limetten** mit frischen roten **Chilischoten** lose auf dem Tisch verteilen. Dazwischen machen sich kleine transparente **Glasvasen** oder **Bechergläser** gut, in die Sie schichtweise getrocknete **weiße** und **Kidneybohnen** füllen.
Wenn Sie Ihren südamerikanischen Tisch generell gedeckter halten wollen, wählen Sie **weiße Stoff-** oder **Papierservietten**, veredelt mit frischen **Maisblättern**: Von 1 frischen Maiskolben die Blätter abschälen und diese in lange, dünne Streifen schneiden. Je 1–2 Streifen um eine zusammengerollte Serviette wickeln und dekorativ verknoten.

96

für Gäste **Kaffeetüte**

(im Bild links vorne)

Material für 1 Tüte:
**2 bunte südamerikanische Abbildungen,
je 12 x 15 cm
Nähnadel + Faden
evtl. Klebstoff**
Zum Füllen:
Kaffeebohnen und/oder Schokobohnen

Zeitaufwand: ca. 10 Min.

1 Die beiden Abbildungen eventuell farbkopieren und auf die richtige Größe zuschneiden. Rücken an Rücken aufeinander legen
und an drei Seiten zusammennähen oder
zusammenkleben.

2 Die so entstandene Tüte mit Kaffeebohnen
und/oder Schokobohnen füllen.

Clever dekoriert

Als Verschluss die Kaffeetüte oben mittig mit
der Ösenzange lochen und eine Öse eindrücken.
Ein kaffeebraunes Geschenkband durchziehen
und zu einer **Schleife** binden.

ganz einfach **Buntes Tischset**

(im Bild rechts hinten)

Material für 1 Tischset:
**1 bunte südamerikanische Abbildung
Schere**

Zeitaufwand: ca. 5 Min.

1 Die Abbildung querrechteckig zuschneiden.

2 Die rechteckige Abbildung im Copyshop
auf DIN-A3-Format vergrößert farbkopieren
und laminieren lassen (siehe Seite 12).

macht was her **Blühende Serviettentüte**

Material für 1 Tüte:
2 bunte südamerikanische Abbildungen
    (am besten mit Blumenmotiv)
Schere
Nähnadel + Faden
1 Serviette

Zeitaufwand: ca. 15 Min.

1 Die beiden Abbildungen oben entlang der Kontur ausschneiden, an den drei anderen Seiten gerade abschneiden.

2 Die ausgeschnittenen Abbildungen im Copyshop laminieren lassen (siehe Seite 12) und erneut ausschneiden.

3 Die beiden Laminate mit dem Motiv nach außen aufeinander legen und mit Nadel und Faden grob zu einer Tasche vernähen. Die Serviette hineinlegen.

Clever dekoriert

Wenn Sie in punkto südamerikanische Bildmotive nicht fündig werden, nehmen Sie 2 gleich große, rechteckige Stücke bunten **Fotokarton**. Auf beide Stücke jeweils beispielsweise ein Rosen-Poesiebild kleben. Dann die Seite mit dem Poesiebild jeweils mit transparenter Klebefolie bekleben. Die Fotokartonstücke mit der Klebefolie nach außen aufeinander legen und an einer Längsseite und den beiden kurzen Seiten mit Nadel und Faden grob vernähen. In die so entstandene Tasche eine gefaltete Serviette legen.

97

ganz einfach **Bunte Papier-
girlande**

Material für 1 Girlande:
**5 Stücke Seidenpapier in unterschiedlichen
Farben, je 20 x 20 cm
Schere
Klebstoff
ca. 2 m Kordel**

Zeitaufwand: ca. 15 Min.

1 Jedes Stück Seidenpapier zweimal zur
Hälfte, dann zweimal diagonal falten, so
dass ein kleines Dreieck entsteht.

2 Aus den beiden Falzkanten des Dreiecks
mit der Schere kleine Formen (z. B. Dreiecke)
ausschneiden und das Seidenpapier wieder
entfalten.

3 Die 5 Scherenschnitte so aneinander kleben, dass sich die Ränder jeweils ca. 1,5 cm
überlappen.

4 Das oberste Quadrat 3 cm weit nach hinten falzen, über die gespannte Kordel legen
und festkleben.

Clever dekoriert

Ganz stilecht: Wählen Sie für die Scheren-
schnitte Seidenpapier in den brasilianischen
(Gelb und Grün) oder mexikanischen (Grün,
Weiß, Rot) **Landesfarben**.

Clever variiert

Nach dem oben beschriebenen Prinzip entstehen nicht nur bunte Girlanden. Nehmen Sie
statt Seidenpapier beispielsweise Filzstücke
im Format 30 x 40 cm und falten und schneiden
Sie diese wie oben beschrieben. Die Filzstücke
danach evtl. bügeln – und schon haben Sie
dekorative und preisgünstige **Tischsets**.

einfach und schön **Früchte in der Schale**

Material für 1 Schale:
*verschiedene südamerikanische Früchte
(z. B. Papayas, Mangos, Maracujas usw.)
1 große Emailschale*

Zeitaufwand: ca. 10 Min.

1 Die Früchte waschen, je nach Sorte halbieren oder in Spalten schneiden. Die Früchte dekorativ in der Schale anrichten.

Clever arrangiert

Je bunter und exotischer die **Auswahl an Früchten** ist, desto mehr südamerikanisches Flair kommt auf. Außer Papaya, Mango und Passionsfrucht passen auch Orangen, Limetten, Kaktusfeigen, Ananas, Babybananen, Kokosnussstücke, Erdnüsse usw. Lassen Sie sich einfach vom jeweiligen Angebot inspirieren. Wie bei den Früchten können Sie natürlich auch beim Behältnis variieren: Einfache oder bunt glasierte **Tonteller** sehen ebenfalls schön aus. Wenn die Deko etwas länger bzw. sogar **unbegrenzt halten** soll, nehmen Sie statt frischer Früchte solche aus Plastik.

Wenn Sie die reich bestückte Fruchtschale **solo inszenieren**, ist eigentlich schon für genügend Samba-Feeling gesorgt. Vor allem, wenn sie etwas erhöht auf dem Tisch steht: Stellen Sie eine flache, runde Schale umgekehrt auf den Tisch, und legen Sie die (z. B. weiße) Tischdecke darüber. Auf den so entstandenen »Aussichtspunkt« stellen Sie dann die Fruchtschale.

An **Geschirr** passen einfache oder bunt glasierte Tonteller (siehe auch Tipp Seite 95) oder Teller in den Farben der ausgewählten Früchte. Weiße Teller machen sich ebenfalls gut. Wenn Sie allerdings eine weiße Tischdecke verwenden, sollten Sie als Kontrast unter die Teller ein farbiges Tischset legen – z. B. in Form der abgewandelten Papiergirlanden (siehe Tipp Seite 98).

Von Sommer bis Winter – Tischdeko rund ums Jahr

Zauber der Jahreszeiten

Lust auf Tischdeko, aber keine Ideen? Dann blicken Sie einmal aus dem Fenster oder lassen Sie sich bei einem Spaziergang inspirieren: Denn zu allen Jahreszeiten macht uns die Natur perfekt vor, welche Farben z. B. harmonieren. Und bietet auch sonst vieles, was nicht nur Feld und Flur, sondern auch jedem Tisch zur Zierde gereicht: bunte Blumen im Frühling, farbenfrohe Früchte im Sommer, leuchtendes Laub im Herbst, strahlenden Schnee im Winter und und und. Hier einige Anregungen für dekorative Parallelen zwischen draußen und drinnen für alle Jahreszeiten.

Frühling

Draußen grünt und blüht es, drinnen auch – z. B. mit **Blüten-Gläsern**: Einige schlichte Bechergläser mit jeweils 1 Bananenblatt (Asienladen) oder einem anderen grünen Blatt umwickeln und mit einem Zahnstocher feststecken (die Blätter vorher eventuell zurechtschneiden). 2–3 Bund pinkfarbene Anemonen auf die Glashöhe kürzen und zu kleinen Sträußchen binden. Die umwickelten Gläser mit Wasser füllen, die Anemonensträußchen hineinstellen. Dazu am besten eine pastellgrüne Tischdecke wählen. **Oder** eine hohe runde oder eckige transparente Glasvase mit etwas Wasser füllen. 3–4 Bund Tulpen bis auf knapp unter Vasenhöhe kürzen. Die Tulpen dicht an dicht in die Vase stellen, dazwischen nach Belieben einige interessant geformte Zweige stecken.

Sommer

Wunderbar für einen luftigen Sommertisch eignen sich transparente, grüne Glasteller und -gläser. Als Hingucker und Appetizer zugleich können Sie auf jeden Teller eine Aprikosenhälfte legen – mit einer Kirsche anstelle des Kerns. Als Tischkulisse dient eine kleine **»Sommerwiese«**: Kleine Kieselsteine oder weißes Tongranulat lose in der Mitte des Tischs verteilen. 1 Beet Katzengras (gibt's in Supermärkten und im Baumarkt) aus der Schale nehmen und auf das Kieselsteinbett setzen. In das Katzengras noch 1 kleinen, weißen Deko-Schmetterling (Bastelladen oder Deko-Geschäft) oder 1 weiße Rosenblüte setzen. An Farben für die Tischdecke und die Servietten eignen sich zartes Grün, Apricot oder Naturtöne.

Herbst

Für eine herbstliche Tischszenerie bietet die Natur mehr als genug Anregungen: Legen Sie beispielsweise Efeuzweige oder Kastanienketten banderolenartig über den mit einer weißen Tischdecke belegten Tisch. Oder streuen Sie einfach schöne bunte Laubblätter auf die Tischdecke. Auch kleine Hagebuttenzweige oder Eicheln machen sich gut. Dazwischen können Sie einige **Kartoffellichter** stellen: Für 1 Licht 1 Kartoffel unten etwas flach schneiden, damit sie stabil steht. In die Oberseite der Kartoffel die Metallhülse eines Teelichts bohren. Wieder herausziehen und das Fruchtfleisch mit einem Kugelausstecher oder einem Teelöffel herausschaben. 1 Teelicht (ohne Metallhülse) hineinsetzen.

Winter

Schlicht, aber festlich: Eine weiße Tischdecke auf den Tisch legen und mit **goldenen Sternchenkonfetti** oder **weißen Konfetti** bestreuen (können Sie mit Locher und Papier selber machen). Den Tisch mit weißen Tellern eindecken. Auf jeden Teller eine grüne Chrysanthemenblüte legen, auf die Blüte einen Transparentpapierstreifen mit dem entsprechenden Namen. Über die Blüte ein großes, schlichtes, transparentes Becherglas stülpen. Mehr Farbe erwünscht? Dann legen Sie unter die Gläser kleine **Nikolausäpfel**. Den Transparentpapierstreifen dann mit einer roten Stecknadel an den Apfel pinnen. Zu den Nikolausäpfeln passen frische Tannenzweige, die in der Tischmitte arrangiert werden. Zwischen die Zweige dann kleine goldene Christbaumkugeln legen.

ganz einfach Kressebeet

(im Bild rechts oben)

Material für 1 Schachtel:
**1 Stück Fotokarton, 14 x 21 cm
Schere
Klebstoff
1 Kressebeet (fertig gekauft)
hellrosa- und rosafarbene Plakafarbe
Pinsel**

Zeitaufwand: ca. 20 Min.

1 Aus dem Fotokarton nach der Anleitung auf Seite 12 eine rechteckige Schachtel von 7 x 14 x 3,5 cm basteln.

2 Die Schachtel mit der Plakafarbe außen rosa und innen hellrosa bemalen. Gut trocknen lassen.

3 Das Kressebeet aus dem Pappkarton nehmen und in die Schachtel stellen.

Clever variiert
Statt Kressebeeten macht sich vor allem in einer rosafarbenen Schachtel auch ein Meer von weißen und roten **Tulpenblüten** fein, die Sie dicht an dicht in die Schachtel stecken.

Clever dekoriert
Das **Kressebeet** wirkt am besten in Gesellschaft, stellen Sie darum gleich mehrere, eventuell aufeinander gestapelt, auf den Tisch. Wenn Ihnen das Basteln so vieler Schachteln zu aufwändig ist, nehmen Sie gekaufte.
Oder stellen Sie mehrere Kressebeete in eine rechteckige Auflaufform aus Glas und stecken einige frische Blüten dazwischen. Weitere Deko-Elemente sind eigentlich gar nicht nötig – außer vielleicht einigen **Teelichtern** in Frühlingsfarben (siehe Bild).

macht was her Blumiges Tischset

(im Bild rechts unten)

Material für 1 Tischset:
**1 Stück frühlingshaftes Geschenkpapier, 24 x 34 cm
1 Stück Transparentpapier, 30 x 40 cm
Klebstoff
Nähnadel + Faden
Silberglimmer
1 Plastik- oder frische Schnittblume (nach Belieben)**

Zeitaufwand: ca. 15 Min.

1 Das Geschenkpapier mittig auf das Transparentpapier legen und festkleben.

2 Das Geschenkpapier an den Rändern mit groben Stichen an das Transparentpapier nähen.

3 Das Geschenkpapier an einigen Stellen mit etwas Klebstoff bestreichen und mit etwas Glimmer bestreuen.

4 Wer mag, schneidet einen kleinen Schlitz in das Tischset und steckt eine Plastikblume oder eine frische Schnittblume hinein.

Clever variiert
Sie können statt des Geschenkpapiers auch prima **Poesiebilder** mit Blumenmotiv auf das Transparentpapier kleben. Das Bekleben mit Glimmer kann dann entfallen, da Poesiebilder meist schon Flittereffekte haben.

marinierte scar.
blattsalat mit musc
und paprikavinaigre
lammfilet in kräute,
orangen_mangokarame,
mit champagnersahne

104

für Gäste **Frühlingstischkarte**

Material für 1 Tischkarte:
1 Stück Transparentpapier, 6,5 x 9 cm
Stift
1 Stück Transparentpapier, 10 x 16 cm
Ösenzange / 1 Silberöse
einige frische kleine Frühlingsblüten

Zeitaufwand: ca. 10 Min.

1 Das kleinere Transparentpapier mit dem Menü beschriften.

2 Das größere Transparentpapier auf der Längsseite zweimal nach je 4 cm markieren und zickzackförmig falten (siehe Bild).

3 Das beschriftete Transparentpapier auf die dritte »Seite« der so entstandenen Zickzack-Karte legen. Beides mit der Ösenzange lochen und die Öse eindrücken.

4 In die erste »Seite« der Zickzack-Karte mittig einen kleinen Schlitz schneiden.

5 Die frischen Blüten in den Schlitz stecken.

Clever variiert

Sie können die Frühlingstischkarte auch **ohne Ösenzange und Öse** basteln: Die Menükarte wie in Step 3 beschrieben auf die dritte »Seite« der Zickzackkarte legen und mit einem Locher beide Karten lochen. Dann ein Stück farblich zur Blüte passendes Geschenkband (am besten aus Stoff) durch die Löcher ziehen, verknoten und zu einer dekorativen Schleife binden. Diese Tischkarte lässt sich natürlich auch zu anderen Jahreszeiten einsetzen: Dekorieren Sie z. B. im Sommer mit **Kirschen**, im Herbst mit kleinen **Kürbissen** oder **Pilzen**, im Winter mit **»Schneekristallen«** aus Transparentpapier.

einfach und schön **Blühende Plätzchentürme**

Zutaten und Material für ca. 3 Türmchen:
Für die Plätzchen:
400 g Mehl
200 g Butter
75 g Puderzucker
2 Eigelbe
1 Päckchen Vanillezucker
Für die Glasur:
250 g Puderzucker
Speisenfarbe
Außerdem:
Ausstechförmchen
frische kleine Frühlingsblumen

Zeitaufwand: ca. 45 Min.
Kühlzeit: ca. 30 Min.

1 Mehl, Butter, Puderzucker, Eigelbe und Vanillezucker auf der Arbeitsfläche schnell zu einem Teig verkneten. Zugedeckt 30 Min. in den Kühlschrank stellen.

2 Den Backofen auf 200° vorheizen. Den Teig auf wenig Mehl ca. 2 mm dünn ausrollen und mit den Förmchen Plätzchen ausstechen.

3 Die Plätzchen auf einem gefetteten Backblech im heißen Backofen (Mitte, Umluft 180°) ca. 10 Min. backen. Abkühlen lassen.

4 Den Puderzucker mit etwas Wasser zu einer zähflüssigen Glasur verrühren. Einige Tropfen Speisenfarbe unterrühren. Die Plätzchen mit der Glasur bestreichen und gut trocknen lassen.

5 Nach dem Trocken jeweils 10 Plätzchen aufeinander stapeln. Jeweils einige frische Blüten zwischen die Plätzchentürme stecken.

macht was her **Bestecktüte in Pastell**

Material für 1 Tüte:
1 Stück Transparentpapier, 24 x 20 cm
Klebstoff
1 Stück Seidenpapier, 8 x 25 cm
je 1 Plastikgabel, -messer und -löffel
Ösenzange / 1 Öse
20 cm Geschenkband

Zeitaufwand: ca. 10 Min.

1 Das Transparentpapier an der Längsseite zweimal nach jeweils 8 cm umfalten, so dass eine Tüte entsteht.

2 Die Tüte an einer Schmalseite 2 cm nach hinten falten und zukleben.

3 Das Seidenpapier falten und zusammen mit dem Besteck in die Tüte schieben.

4 Die Tüte mit der Ösenzange oben mittig lochen und die Öse eindrücken.

5 Das Geschenkband durch die Öse ziehen und zu einer Schleife binden.

Clever dekoriert

Wer mag, steckt eine **frische Frühlingsblüte** in zarten Pastelltönen oder eine kleine **Süßigkeit** – ebenfalls in pastellfarbenes Papier gewickelt – mit in die Tüte.

ganz einfach **Serviette mit Blütenbanderole**

Material für 1 Serviette:
1 Serviette, 50 x 50 cm
50 cm Silberdraht (1 mm Ø)
frische Blüten und/oder Kräuter

Zeitaufwand: ca. 5 Min.

1 Die Serviette zur Hälfte falten und aufrollen.

2 Den Silberdraht mehrmals um die Serviette wickeln und verknoten.

3 Die frischen Blüten und/oder Kräuter dazwischenstecken.

Clever dekoriert & arrangiert

Stecken Sie die Blüten und Kräuter so spät wie möglich an die Serviette, damit alles möglichst lange **frisch** bleibt. Wenn Sie es noch bunter mögen, fädeln Sie zusätzlich zu Blumen und Kräutern bunte **Perlen** auf den Silberdraht. Je **farbintensiver** die **Servietten** und die **Blüten** daran sind, desto weniger zusätzliche »Eye-catcher« sind für den Frühlingstisch nötig. Ein farblich auf die Blüten abgestimmter bunter **Blumenstrauß** in der Tischmitte reicht z. B. völlig aus. Oder auch die **Frühlingstischkarte** von Seite 104, die Sie mit den gleichen Blüten wie die Serviette schmücken. Die Serviette legen Sie dann auf den Teller, die Tischkarte stellen Sie schräg links über den Teller bzw. auf den Extra-teller für Brot oder Brötchen (vgl. auch Seite 4).

Clever variiert

Nach dem oben beschriebenen Prinzip können Sie Ihre Servietten natürlich zu jeder Jahreszeit veredeln: Im Herbst stecken Sie z. B. **Efeuzweige** oder **Trockenblumen** zwischen den Draht. Im Winter – vor allem in der Vorweihnachtszeit – können Sie jeweils 1 kleine **Weihnachtskugel** auffädeln.

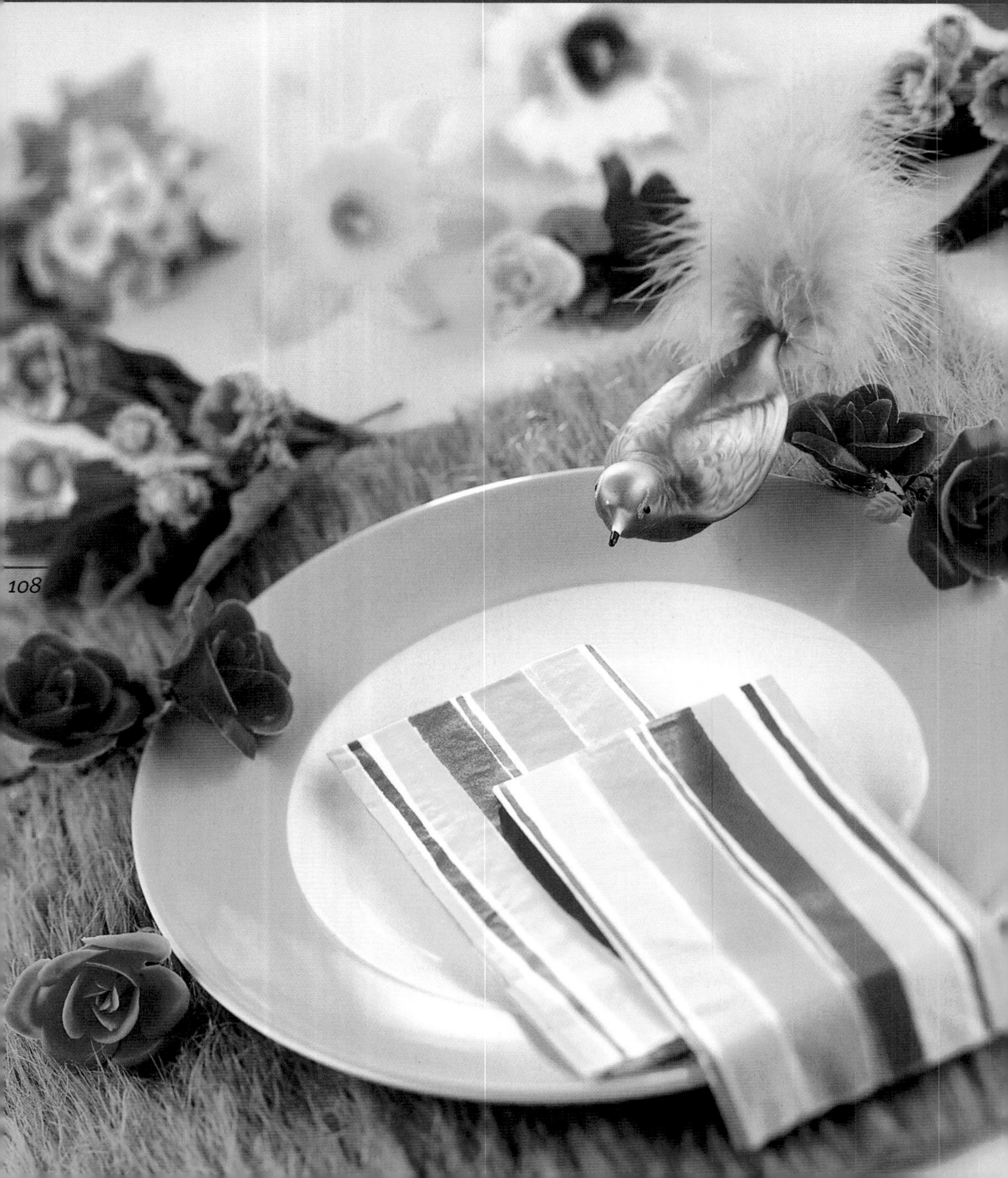

einfach und lustig **Blühende Tischdecke**

(im Bild oben)

Material für 1 Tischdecke:
einige Plastikblüten in verschiedenen
Größen, Formen und Farben
Nähnadel + Faden
1 Tischdecke

Zeitaufwand: ca. 10 Min.

1 Die Plastikblüten mit Nadel und Faden schön verteilt auf die Tischdecke nähen.

Clever dekoriert

Achten Sie beim **Annähen** der Plastikblüten jeweils darauf, dass diese so verteilt sind, dass Sie Teller, Schüsseln & Co. noch bequem aufstellen können. Selbstverständlich können Sie die Blüten auch einfach lose auf die Tischdecke und das Set legen. In diesem Fall machen sich frische Blüten natürlich besser.

farbenfroh **Gras-Tischset**

(im Bild unten)

Material für 1 Tischset:
einige Plastikblüten
(z. B. Rosen)
Nähnadel + Faden
1 Stück Kunstgras, 40 x 40 cm
(Baumarkt)

Zeitaufwand: ca. 10 Min.

1 Die Plastikblüten schön verteilt auf das Kunstgras nähen. Dabei darauf achten, dass Teller und Besteck genügend Platz haben.

Clever variiert

Das **Kunstgras** für die Tischsets bekommen Sie im Baumarkt. In vielen Geschäften für Wohnaccessoires gibt es mittlerweile aber auch fertige **Kunstgras-Tischsets** preisgünstig zu kaufen, in die oft schon Plastikblüten eingearbeitet sind.

Clever dekoriert & arrangiert

Wenn es auf Ihrem Tisch so richtig **sommerbunt** werden soll, legen Sie außer der blühenden Tischdecke und den Gras-Tischsets – wie auf dem Bild – **gestreifte Papierservietten** auf. Zusätzlich können Sie an den Tellerrand z. B. ein kleines **Plastikvögelchen** oder eine andere Figur klemmen. Fündig werden Sie hier im Deko- oder Bastelladen.

Möchten Sie den Tisch umgekehrt **dezenter dekorieren**, wählen Sie eine hellgelbe Tischdecke, hellgrüne Platzdeckchen, schlichtes weißes Geschirr und hellgrüne Stoff- oder Papierservietten. Als **Blumenschmuck** können Sie dann z. B. frische weiße Rosenblüten lose auf den Tisch streuen. Auch Sonnenblumen machen sich gut: Je 1 Sonnenblume entsprechend kürzen und in kleinen transparenten Glasvasen aufstellen. Oder die Stiele der Sonnenblumen ganz abschneiden und die Blüten direkt auf den Tisch oder als Platzkarten auf die Teller legen. Statt mit Blumen können Sie auch mit **sommerlichen Früchten** und/oder **Gemüsen** dekorieren. Zu der vorgeschlagenen Farbkombination Hellgelb, Hellgrün und Weiß passt beispielsweise eine silberne oder eine naturbelassene Holzschale sehr gut, die Sie üppig mit kleinen Artischocken oder runden gelben Zucchini füllen, die man jetzt immer öfter auf den Märkten findet. Auch die **Becher-Salate** und/oder die **fruchtigen Schachteln** (beide Seite 113) sind wunderbare Hingucker auf dem Sommertisch.

109

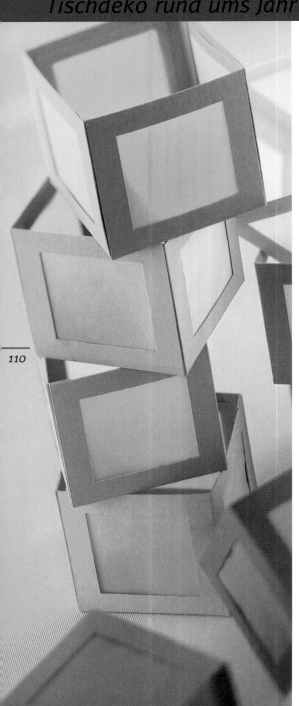

preiswert **Papierlampion**

Material für 1 Lampion:
1 Stück bunter Fotokarton, 15 x 15 cm
Schere oder Cutter I Klebstoff
4 Stücke buntes Transparentpapier, 5 x 5 cm

Zeitaufwand: ca. 15 Min.

1 Aus dem Fotokarton nach der Anleitung auf Seite 12 eine Schachtel von 5 x 5 x 5 cm basteln – allerdings noch nicht zusammenkleben!

2 Aus den vier Schachtelseiten jeweils mittig ein 4 x 4 cm großes Quadrat ausschneiden (darauf achten, dass auch die Teile, die beim Zusammenkleben der Schachtel eingeklappt werden, entsprechend ausgeschnitten werden).

3 Die Schachtelseiten hochklappen und zusammenkleben. In die vier »Fenster« jeweils von innen 1 Stück Transparentpapier kleben.

Clever dekoriert & arrangiert

In Kombination mit den **geösten Servietten** von Seite 112 sind die Lampions eine farbenfrohe, preiswerte Sommerdeko, mit der Sie je nach Farbwahl ganz unterschiedliche Stimmungen erzeugen können. Wenn Sie etwa ein Fischgericht servieren, verwandeln Sie den Tisch in eine **Unterwasserwelt**: Wählen Sie für die Lampions dunkelblauen Fotokarton, türkisfarbenes Transparentpapier und weiße Teelichter. Füllen Sie eine rechteckige, transparente Glasschale mit grobem Meersalz (oder Zucker), setzen Sie mehrere Lampions hinein und stellen Sie die Glasschale in die Tischmitte. Nehmen Sie für die **geösten Servietten** drei Papierservietten in unterschiedlichen Blautönen und weißes Geschenkband und binden Sie statt der Blüte zwei zusammenhängende, leere Miesmuschelschalen daran. **Transparente Glasteller** und eine **hellblaue Tischdecke** machen die Illusion perfekt.

für Gäste Tischkarte »Blühende Sommerwiese«

Material für 1 Tischkarte:
1 Stück rosafarbener Fotokarton, 10 x 22 cm
1 Stück bunt gemustertes Papier, 10 x 12 cm
Klebstoff
Schere oder Cutter
1 Papierfigur, 5 x 8,5 cm
1 Stück weißer Fotokarton, 7,5 x 10,5 cm
1 Stück Kunstgras, 2 x 7 cm

Zeitaufwand: ca. 15 Min.

1 Den rosafarbenen Fotokarton längs nach 8 cm und nach 20 cm markieren und jeweils nach innen falten.

2 Auf die so entstandene 12 x 10 cm große Fläche das bunte Papier kleben.

3 In die 8 x 10 cm große Fläche mittig ein 5 x 7 cm großes Fenster schneiden.

4 Den Fotokarton so zusammenkleben, dass durch das Fenster das bunte Papier zu sehen ist; die Hinterseite wölbt sich leicht nach hinten.

5 Die Papierfigur auf den weißen Fotokarton kleben und so ausschneiden, dass unter der Figur ein 2 cm breiter Streifen Karton stehen bleibt, der als Standfuß nach hinten geknickt wird.

6 Die Figur mit dem Standfuß auf das Kunstgras kleben und in den Rahmen stellen.

ganz schnell **Besteckkörbchen**

(im Bild links oben)

Material für 1 Körbchen:
einige Plastikblüten
1 Plastikkörbchen
mehrere Plastikbestecke oder Servietten

Zeitaufwand: ca. 2 Min.

1 Die Plastikblüten dekorativ verteilt in das Korbgeflecht stecken.

2 Die Plastikbestecke oder Servietten in das Körbchen drapieren.

Clever dekoriert
Ebenso schön sind **geflochtene Körbchen** bzw. **Blumenampeln** zum Aufhängen (siehe Bild), die Sie dann mit frischen Blüten schmücken.

preiswert **Geöste Serviette**

(im Bild links unten)

Material für 1 Serviette:
3 bunte Papierservietten
Ösenzange l 1 Silberöse
15 cm Geschenkband
1 frische Blüte

Zeitaufwand: ca. 5 Min.

1 Die Servietten zu verschieden großen Rechtecken falten. Oben bündig aufeinander legen, mit der Ösenzange oben mittig lochen und die Öse eindrücken.

2 Das Geschenkband durch die Öse ziehen und die Blüte daran festknoten.

Clever dekoriert
Sie können mit der Öse zusätzlich noch ein kleines **Menükärtchen** an die Servietten heften.

ganz schnell **Becher-Salate**

(im Bild rechts oben)

Material für 5 Becher:
5 transparente Plastikbecher
250 g bunte Salatmischung (fertig gekauft)
5 transparente Plastikgabeln (nach Belieben)

Zeitaufwand: ca. 5 Min.

1 Die Plastikbecher mit der Salatmischung füllen, nach Belieben die Gabeln hineinstellen und die Becher auf den Tisch stapeln.

Clever dekoriert

Besonders schön machen sich hier natürlich **selbst gemachte Salate** mit bunten Gemüsen und essbaren Blüten aus dem Garten. Nicht nur dekorativ, sondern auch lecker: Bei Blattsalaten servieren Sie das **Dressing** besser separat, damit der Salat schön knackig bleibt.

zum Verschenken **Fruchtige Schachteln**

(im Bild rechts unten)

Material für 1 Schachtel:
1 Stück Fotokarton, 16 x 16 cm
Schere / Klebstoff
blaue oder grüne Plakafarbe / Pinsel
Zum Füllen:
frische Blüten / Erdbeeren oder Kirschen

Zeitaufwand: ca. 15 Min.

1 Aus dem Fotokarton nach der Anleitung auf Seite 12 eine Schachtel von 10 x 10 x 3 cm basteln. Die Schachtel mit blauer oder grüner Plakafarbe bemalen und gut trocknen lassen.

2 Frische Blüten und Erdbeeren oder Kirschen in die Schachtel füllen.

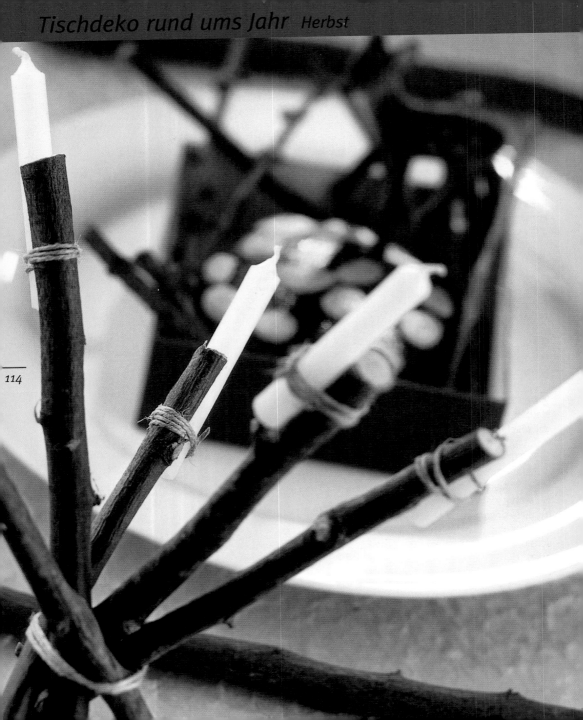

für Gäste **Bambi-Schachtel**

(im Bild hinten)

Material für 1 Schachtel:
1 Stück Fotokarton, 16 x 16 cm
Schere
Klebstoff
braune und rosafarbene Plakafarbe
Pinsel
1 kleiner Mandel-Feigen-Kuchen
  (fertig gekauft)
einige kleine Äste
1 Plastikreh

Zeitaufwand: ca. 15 Min.

1 Aus dem Fotokarton nach der Anleitung auf Seite 12 eine Schachtel von 10 x 10 x 3 cm basteln.

2 Die Schachtel außen mit brauner, innen mit rosafarbener Plakafarbe bemalen und gut trocknen lassen.

3 Den Kuchen in die Schachtel setzen. Mit kleinen Ästen dekorieren und das Plastikreh dazwischenstellen.

Clever gefüllt
Soll die Bambi-Schachtel als Tafelschmuck in der Mitte des Tisches stehen, eignen sich **Brownies** als Füllung – jeder Gast kann bequem davon naschen. So bäckt man sie selbst: Für ca. 40 Stück 150 g Zartbitterschokolade in Stücke brechen. 80 g Butter schmelzen. Die Schokolade dazugeben und bei schwacher Hitze unter Rühren auflösen. Den Backofen auf 180° vorheizen. Ein Backblech mit Backpapier belegen. 2 Eier mit 150 g Zucker und 1 Päckchen Vanillezucker schaumig rühren. Die geschmolzene Schokolade einrühren. 100 g Mehl mit 50 g Speisestärke mischen und unter die Schokocreme rühren. 100 g fein gehackte Walnüsse dazu-

geben und unterheben. Mit zwei Teelöffeln kleine Häufchen auf das Backblech setzen. Im Backofen (Mitte, Umluft 160°) 10–12 Min. backen. (Die Brownies sind dann noch weich.) Herausnehmen und abkühlen lassen. Für die Glasur 150 g Puderzucker mit 1–2 EL lauwarmer Milch glatt rühren. Die Brownies damit überziehen.

macht was her **Ast-Kerzenständer**

(im Bild vorne)

Material für 1 Kerzenständer:
5 fingerdicke Äste, je ca. 20 cm lang
30 cm Paketschnur
5 Stücke Paketschnur, je 10 cm lang
5 kleine Kerzen (1 cm dick, 7 cm lang)

Zeitaufwand: ca. 10 Min.

1 Die Äste mit der Kordel im unteren Drittel zu einem Bund zusammenbinden. Den Bund mikadoförmig aufstellen.

2 An jedes Astende mit 1 Stück Paketschnur 1 Kerze binden.

Clever variiert
Wenn sich Ihr **Ast-Kerzenständer** partout nicht aufstellen lässt, stecken Sie die Äste einfach einzeln oder zusammengebunden in eine mit Vogelsand oder Blumenerde gefüllte transparente Glasvase. Und wenn Sie bei Ihrem Herbstspaziergang keine geeigneten Äste finden können, nehmen Sie dünne Holzstäbe aus dem Bastelladen.

Clever dekoriert
Vorsicht, bei diesem Kerzenständer besteht **Tropfgefahr!** Wenn Sie die Kerzen anzünden wollen, sollten sie den Ständer auf eine ausreichend große, feuerfeste Platte o. Ä. stellen.

116

zum Verschenken **Brezel-Tasche**

Material für 1 Tasche:
*2 Stücke braun melierter Naturfilz,
je 12 x 12 cm*
*3 Stücke braun melierter Naturfilz,
je 3 x 12 cm*
Nähnadel + Faden
6 dünne Äste, je ca. 10 cm lang
20 cm Silberdraht
1 Stück Pergamentpapier, 10 x 28 cm
2 große Salzbrezeln (fertig gekauft)

Zeitaufwand: ca. 25 Min.

1 Die beiden quadratischen Filzstücke nebeneinander legen. Einen der schmalen Filzstreifen
(ergibt den Taschenboden) zwischen die beiden Filzquadrate legen. Die aneinander sto-
ßenden Längskanten miteinander vernähen.

2 Die beiden Filzquadrate nach oben klappen
und in die seitlichen Zwischenräume links und
rechts die beiden übrigen Filzstreifen nähen.

3 Die Taschenhenkel folgendermaßen for-
men: Jeweils 1 Ast links und rechts an den
Enden des dritten Astes rechtwinklig mit
Silberdraht befestigen. Die beiden so ent-
standenen Henkel an den Innenseiten der
Filztasche festnähen.

4 Das Pergamentpapier quer in der Mitte
falten und so in die Tasche stecken, dass
die Enden dekorativ über den Taschenrand
ragen. Die Brezeln dazwischenstecken.

macht was her **Filz-Menükarte**

Material für 1 Menükarte:
Für die Menükarte:
wasserfester Stift
1 Stück Transparentpapier,
    5 x 9 cm
1 Stück Yoshpapier, 6 x 6 cm
1 Stück braun melierter Naturfilz,
    9 x 9 cm
Klebstoff
Ösenzange | 1 Silberöse
Für den Umschlag:
2 Stücke Transparentpapier,
    je 11 x 11 cm
Nähgarn + Faden

Zeitaufwand: ca. 20 Min.

1 Für die Menükarte mit dem wasserfesten Stift das Menü auf das Transparentpapier schreiben.

2 Das Yoshpapier mittig auf den Filz kleben.

3 Das beschriftete Transparentpapier oben bündig und seitlich mittig auf den Filz legen. Beides oben mittig mit der Ösenzange lochen und die Silberöse eindrücken.

4 Für den Umschlag die beiden Transparentpapierstücke aufeinander legen und an drei Seiten mit groben Stichen vernähen. Die Menükarte in den so entstandenen Umschlag stecken.

Apfelsalat mit Cidre

Lamm mit Flageolets

einfach und schön **Herbstliches
Tischset**

Material für 1 Tischset:
*1 Stück braun-weiß gemusterter Stoff,
20 x 30 cm
1 Tischdeckchen aus Naturleinen,
ca. 40 x 60 cm (fertig gekauft)
Nähnadel + Faden*

Zeitaufwand: ca. 10 Min.

1 Das gemusterte Stoffquadrat mit einigen
groben Stichen mittig auf das Tischdeckchen
nähen.

Clever variiert

Nicht nur im Herbst eine gute Idee – so lassen
sich alte Tischdeckchen zu jeder Jahreszeit auf-
peppen. Statt gemustertem Stoff können Sie
auch **Tüll, Kunstgras** oder ein Stück **Spitzen-
gardine** verwenden.

Clever dekoriert & arrangiert

Für eine schlichte Tischdekoration bleibt der
Rand der Tischsets ungeschmückt. Wer es
üppiger liebt, näht **Blüten** – frisch oder aus
Plastik – an den Rand. Wichtig: genügend Platz
für Teller und Besteck lassen!
So entsteht ein **herbstliches Tischarrangement**:
Verwenden Sie eine weiße oder hellgraue Tisch-
decke und dazu passend weißes oder hellgraues
Geschirr. Auf jeden Teller kommt eine **Serviette
mit Holzschmuck** (Anleitung Seite 119). In die
Tischmitte können Sie dann zum Beispiel den
Ast-Kerzenständer von Seite 115 oder einige
Herbstlichter (Anleitung Seite 119) stellen.
Einige schöne rote Laubblätter oder Kastanien
darum herum verteilen – fertig.

einfach und edel **Herbstlicht**

(im Bild rechts oben)

Material für 1 Lampion:
1 Stück Transparentpapier, 31 x 31 cm
Schere | Klebstoff
Nähnadel + Faden

Zeitaufwand: ca. 20 Min.

1 Aus dem Transparentpapier nach der Anleitung für Schachteln auf Seite 12 einen eckigen Lampion von 9 x 11 x 9 cm basteln. Die Kanten zusätzlich mit groben Stichen vernähen.

festlich **Serviette mit Holzschmuck**

(im Bild rechts unten)

Material für 1 Serviette:
1 Stück Geschenkpapier, 5 x 20 cm
Klebstoff
1 Serviette (z. B. aus Naturleinen), 50 x 50 cm
2 Äste, je 1 cm dick und 30 cm lang
50 cm Paketschnur

Zeitaufwand: ca. 10 Min.

1 Den Geschenkpapierstreifen an den schmalen Enden zu einer Banderole verkleben. Die Serviette rollen und die Banderole überstreifen.

2 1 Ast vorne zwischen Serviette und Banderole schieben, den zweiten hinten. Die Banderole mit der Paketschnur umwickeln und verknoten.

Clever variiert

Es geht auch **einfacher**, wie das Bild zeigt: Die Serviette längs falten, auf einen kleinen Ast legen. Einen zweiten Ast auf die Serviette legen. Die oben und unten überstehenden Astenden mit Paketschnur so zusammenbinden, dass die Äste eine Serviettenklammer bilden.

snowy flowers

macht was her Schnee-Girlande

(im Bild hinten)

Material für 1 Girlande:
1 Stück Transparentpapier, 50 x 70 cm
Zirkel
Schere
Nähnadel
1,5 m Nylonfaden, (0,25 mm dick)

Zeitaufwand: ca. 15 Min.

1 Auf dem Transparentpapier mit dem Zirkel Kreise in verschiedenen Größen (zwischen 4 und 10 cm) markieren und ausschneiden.

2 Die Kreise schön verteilt mit der Nadel auf den Nylonfaden ziehen. Über dem winterlich gedeckten Tisch aufhängen.

einfach und schön Tischset »Snowy Flowers«

(Bildmitte)

Material für 1 Tischset:
1 Stück Transparentpapier, 21 x 21 cm
wasserfester Stift
1 Stück Transparentpapier, 30 x 40 cm
Nähnadel + Faden

Zeitaufwand: ca. 10 Min.

1 Das quadratische Transparentpapier mit einem »winterlichen« Text beschriften und mittig unter das größere Stück Transparentpapier legen.

2 Das beschriftete Transparentpapier an den vier Ecken mit einigen Stichen annähen.

Clever dekoriert

Wenn Sie Ihre eigene Handschrift nicht attraktiv genug finden, aber einen **Laserdrucker** besitzen, der das Format des Transparentpapiers bedrucken kann, können Sie natürlich per PC einen Text erstellen und dann auf das Transparentpapier drucken.

preiswert Eingeschneite Tischdecke

(im Bild unten)

Material für 1 Tischdecke:
1 Stück Transparentpapier, 50 x 70 cm
Schere
1 Stück Transparentpapier 1,5 x 1,5 m
Klebstoff

Zeitaufwand: ca. 15 Min.

1 Aus dem 50 x 70 cm großen Transparentpapier ca. 5 x 8 cm große Ovale schneiden.

2 Das Innere der Ovale herausschneiden, so dass ein ca. 5 mm breiter Rand stehen bleibt.

3 Diese Ovale schön verteilt auf den großen Bogen Transparentpapier kleben. Diesen dann mit der beklebten Seite nach unten als Tischdecke auflegen.

Clever variiert

Echt wirkende **Schnee-Effekte** erreichen Sie mit Schneespray, das es in vielen Bastelläden und Deko-Geschäften zu kaufen gibt (siehe auch Herstellernachweise Seite 127). Damit können Sie beispielsweise kleine Schneeinseln oder -spiralen auf den großen Bogen Transparentpapier sprühen.

ganz einfach **Serviettentüte**

(im Bild links oben)

Material für 1 Tüte:
1 Stück blaues Transparentpapier, 15 x 17 cm
Klebstoff
1 Stück blaues Transparentpapier, 15 x 18 cm
1 Serviette

Zeitaufwand: ca. 10 Min.

1 Das 15 x 17 cm große Transparentpapier an drei Seiten jeweils 1 cm nach hinten falten.

2 Diese schmalen Streifen mit Klebstoff bestreichen und so auf das größere Stück Transparentpapier kleben, dass die Unterseiten bündig aufeinander liegen.

3 Die so entstandene Tüte trocknen lassen. Die Serviette hineinstecken.

zum Verschenken **»Cool Food«-Schachtel**

(im Bild links unten)

Material für 1 Schachtel:
1 Stück graues Transparentpapier, 20 x 20 cm
1 Stück blaues Transparentpapier, 18 x 18 cm
Klebstoff
Zum Füllen:
9 Lakritzkegel

Zeitaufwand: ca. 15 Min.

1 Die beiden Transparentpapiere markieren, falten und kleben wie in der Anleitung für Schachteln auf Seite 12 beschrieben. Sie erhalten eine 12 x 12 x 4 cm große graue und eine 10 x 10 x 4 cm große blaue Schachtel.

2 Die kleine Schachtel in die große stecken und die Lakritzkegel hineinstellen.

preiswert **Schneelicht**

(im Bild rechts oben)

Material für 1 Lampion:
1 Stück Transparentpapier, 7 x 21 cm
1 Kreis aus Fotokarton, 9 cm Ø
Klebstoff
1 Stück Transparentpapier, 6 x 21 cm
wasserfester Stift

Zeitaufwand: ca. 10 Min.

1 Den breiteren Transparentstreifen an der Längsseite 1 cm umfalten. Das nach hinten gefaltete Stück alle 5 mm bis zum Falz einschneiden. Das Transparentpapier um den Fotokartonkreis legen und festkleben.

2 Das zweite Stück Transparentpapier mit einem »winterlichen« Text beschriften, etwas rollen. Als innere Papierschicht so in den Lampion stecken, dass die Schrift durchscheint.

zum Verschenken **Schneehaus**

(im Bild rechts unten)

Material für 1 Haus:
2 EL Puderzucker | 6 Butterkekse
Zum Dekorieren:
1 Eiweiß | 3 EL Puderzucker

Zeitaufwand: ca. 20 Min.

1 Den Puderzucker mit etwas Wasser zu einer festen Glasur verrühren. Die Kekse damit zu einem Häuschen zusammenkleben.

2 Für die Dekoration das Eiweiß mit 2 EL Puderzucker steif schlagen, bis ein sehr fester, glänzender Schaum entsteht. In einen Spritzbeutel mit Spritztülle füllen und das Haus damit verzieren. Gut trocknen lassen. Zum Schluss mit dem restlichen Puderzucker überstäuben.

Bezugsadressen für Deko-Materialien und -Elemente

**Asiatische Lebensmittel
& Accessoires:**
www.asiatempel.de
www.maimai.de
www.schmuckversand24.de
(Buddha-Figuren,
Ess-Stäbchen)

Bastelbedarf allgemein:
www.abc-bastelshop.de
www.bastelbedarf-verkauf.de
www.basteln-co.de
www.bastelinsel.com
www.bastelpark.de
www.basteln-schenken-
onlineshop.de
www.billiger-basteln.de
www.creativelaedle.de
www.geschenkideen-doris.ch
www.kunstmarkt-bielefeld.de

www.laden13.de
www.sandras-bastelladen.de

Deko-Materialien:
www.bartel-weissbarth.de
(Behang-/Schmuckteile)
www.riffelmacher.de
(Weihnachtsdeko)
www.kunstmarkt-bielefeld.de
(u. a. nach Jahreszeiten)

Kerzen:
www.mckerze.de

Kunstblumen:
www.schildgen-gmbh.de

Papier:
www.kunstmarkt-bielefeld.de
www.mypaper.de

Pinsel:
www.pinselmania.de

Poesiebilder:
www.bastelpark.de
www.geschenkideen-doris.ch

Siegellack:
www.siegelshop24.de

Süßwaren:
www.suesse-briefe.de
(Esspapier)
www.musil.at
www. La-kido.de
(Lakritze)
www.m-c-d.de
(Fruchtgummi)

Wohnaccessoires:
www.al-andaluz.de
(marokkanisch)
www.soukelweb.de
(orientalisch)

Impressum

Die Autorin

Caroline Hofman studierte Grafik-Design an der Fachhochschule in Aachen. Seitdem lebt die gebürtige Niederländerin in Aachen und arbeitet freiberuflich vor allem für niederländische und deutsche Zeitschriften. Ihre bevorzugten Bereiche sind Styling, Food, Packaging und Kreativ-Produktionen. Außerdem taucht sie häufig und mit großer Freude ab in die fantasiereiche Kinderwelt, in der sie mit ihrem 9-jährigen Sohn Raphael zauberhafte Kinderproduktionen entstehen lässt.

Die Fotografen

Manfred Jahreiß arbeitet als selbstständiger Fotograf und betreibt mit seinem Team zwei Fotostudios bei Selb und in München. Er stammt aus einer Gegend Deutschlands, wo Hersteller für Tischkultur traditionell ansässig sind, und hat sich mit zahlreichen Fotoproduktionen in diesem Bereich einen Namen gemacht.
Zusammen mit seiner Münchner Studioleiterin **Eva Wunderlich** hat er für den GRÄFE UND UNZER VERLAG bereits eine Reihe von Fotoproduktionen in stimmungsvoller und vielseitiger Bildsprache realisiert. Für diesen Titel übernahmen die beiden auch das Styling.

Bildnachweis
Manfred Jahreiß und Eva Wunderlich

Genehmigte Lizenzausgabe für Verlagsgruppe Weltbild GmbH, Steinerne Furt, 86167 Augsburg

Copyright © 2003 by Gräfe und Unzer Verlag GmbH, München

Programmleitung: Doris Birk
Leitende Redakteurin:
  Birgit Rademacker
Konzept, Text und Redaktion:
  Alessandra Redies
Lektorat: Margit Proebst
Korrektorat: Beate Schlachter
Layout und Typografie:
  Thomas Jankovic, engels verlagsbüro, München
Satz: Knipping Werbung GmbH, München
Umschlaggestaltung:
  Marion Waldmann, Augsburg
Gesamtherstellung:
  Offizin Andersen Nexö Leipzig GmbH, Spenglerallee 26 – 30, 04442 Zwenkau
Printed in Germany

ISBN 3-8289-2507-3

2009   2008   2007   2006
  Die letzte Jahreszahl gibt die aktuelle Lizenzausgabe an.

Einkaufen im Internet:
www.weltbild.de

Danke!
M. Jahreiß und E. Wunderlich danken den Firmen
Dibbern
Rosenthal AG
SKV-Arzberg
Villeroy und Boch AG
ganz herzlich für die freundliche Unterstützung.